D0865638

Chère Lectrice,

Quand la passion naît à l'ombre d'un secret,
le cœur bat plus fort.
L'inconnu attire, fascine et souvent bouleverse la vie.
N'attendez plus. Découvrez très vite, en lisant
cette histoire, que le mystère apporte à l'amour
des émotions nouvelles.

Amour et Mystère : des livres palpitants,
deux nouveautés par mois.

Amour et Mystère

JOANNA SCOTT

L'homme surgi de la mer

Titre original : *In All Honesty* (86)
© 1985, Joanna Scott
Originally published by SILHOUETTE BOOKS,
division of Harlequin Enterprises Ltd,
Toronto, Canada

Traduction française de : Isabelle Stoïanov
© 1986, Éditions J'ai Lu
27, rue Cassette, 75006 Paris

1

Les étoiles pâlissaient sous la lumière de l'aube : le resplendissant soleil d'Hawaii déchirait peu à peu le voile de la nuit. Dans le jardin, les perroquets emplissaient le silence de leurs babillages, voletant parmi les fleurs qui attendaient paresseusement la chaleur pour s'épanouir. Des gouttes de rosée scintillaient sur les fleurs blanches des frangipaniers.

De sa terrasse, Marilyn Fancher guettait elle aussi la fin de la nuit, se demandant ce qu'était devenu Jeff. En avait-il réchappé ? Etait-il sain et sauf ? Ses yeux erraient par-dessus les arbres, au-delà des falaises noires de lave, vers la mer où deux voiliers et un yacht se balançaient tranquillement. Le chalutier était parti maintenant, mais il était venu cette nuit et Jeff Thompson se trouvait alors à bord. Personne ne la persuaderait du contraire.

Elle pensait aux heures qui venaient de s'écouler, si présentes à sa mémoire qu'il lui semblait les revivre. Mais, cette fois, elle restait paisiblement assise sur sa terrasse... Lorsqu'elle avait aperçu le bateau de pêche, la veille au soir, elle était à la recherche de spécimens marins abandonnés par la marée. Elle ferma les yeux et se souvint.

La grande embarcation grise n'était pas d'ici. D'ailleurs, tous les autres chalutiers avaient regagné leur port d'attache à la fin de l'après-midi pour la rituelle pesée des poissons. Le gagnant était autorisé à mouiller près du marché et son équipage à se reposer tandis que les autres devaient regagner les docks. Aucun ne ressortirait avant le petit matin et pourtant, ce soir-là, l'un d'eux était resté en mer, dans l'obscurité.

Enfin, s'était-elle dit alors, ce n'était pas son affaire. Penchée sur une crevasse emplie d'eau, elle avait dirigé le faisceau lumineux de sa lampe sur une anémone de mer rose. Délicatement, elle l'avait mise dans un sac en plastique avec un peu d'eau de mer. Elle l'étudierait dans son laboratoire du Maryland à son retour de vacances.

Un brusque coup de vent avait soudain agité ses longs cheveux auburn : ils semblaient animés d'une vie propre et se débattaient, indociles, sous le foulard de soie blanche. A quoi bon tous ces efforts, se demandait-elle. Elle n'obtiendrait jamais cette allure de cover-girl angélique, toute naturelle chez sa sœur, Sue, fragile et parfaite incarnation de la femme; dès son plus jeune âge, Marilyn avait eu l'allure d'un garçon manqué.

Déjà, petite fille, elle portait un jean tandis que sa sœur revêtait des robes d'organdi. Peu à peu, elle s'était persuadée que la nature l'avait voulu ainsi :

l'organdi n'était recommandé ni pour grimper dans les arbres, ni pour monter à cheval.

Aujourd'hui, Sue se contentait d'être l'épouse gâtée d'un juge de Washington, tandis que Marilyn partageait son temps entre l'enseignement de la biologie marine et la garde d'un refuge pour animaux abandonnés ou maltraités. Sue passait son temps à lui reprocher un tel mode de vie, tout comme sa mère, qui lui répétait sans cesse les mêmes recommandations : « Tu as vingt-neuf ans, presque trente. Il serait temps que tu songes à ton avenir... mariage... enfants. Les célibataires finissent souvent par se sentir très seuls, et tu n'es plus toute jeune. »

Plus toute jeune... pensa amèrement Marilyn. Elle avait toujours haussé les épaules, peu préoccupée par son âge ou sa beauté, mais le dernier diagnostic du Dr Carrow l'avait soudain fait changer d'avis.

Elle était atteinte d'endométrie, une affection relativement bénigne mais, si elle voulait un enfant, c'était maintenant ou jamais, car sinon, le médecin comptait l'opérer.

Cette idée l'avait violemment secouée.

— Réfléchissez-y, avait ajouté le docteur, et appelez-moi quand vous serez décidée.

C'était un peu la raison de son voyage à Hawaii ; malheureusement, le dépaysement n'avait pas chassé son inquiétude. Elle avait fréquenté plusieurs hommes dans sa vie mais aucun ne l'avait vraiment marquée et sa carrière occupait tout son temps. Elle n'avait jamais réfléchi au mariage, ni aux enfants, repoussant ces éventualités dans quelque lointain futur. Mais le temps devenait maintenant son ennemi et elle se trouvait confrontée à une décision qui pourrait à jamais lui interdire de fonder une famille.

La lune était apparue entre deux nuages au moment où, luttant contre ses larmes, elle avait détourné les yeux en direction du chalutier. Elle avait oublié ses difficultés personnelles à la vue d'une porte qui s'ouvrait sur un faisceau de lumière. Pour la première fois, Marilyn avait vu Jeff.

Il traversait le pont à la hâte et s'arrêtait à l'avant, regardant droit dans sa direction. Il n'avait pu que l'apercevoir, éclairée par sa lampe et, malgré la distance, elle sentit immédiatement peser sur elle un intérêt tout sensuel. Il était torse nu et, quand il leva les bras au-dessus de sa tête, sa peau bronzée brilla sous un rayon de lune.

Oubliant ses anémones, Marilyn s'était alors emparée de ses jumelles. L'inconnu était très grand, aussi n'en admira-t-elle que plus le contraste entre ses larges épaules, l'étroitesse de ses hanches et la longueur de ses jambes. Ses cheveux ébouriffés semblaient noirs, les traits de son visage puissants et son teint presque sombre. Peut-être un Polynésien ? se demanda-t-elle.

Il avait plongé et elle ne l'avait pas immédiatement repéré dans l'eau. Elle l'avait cherché, mais sans succès. Personne ne se baignait dans ces endroits, surtout la nuit. La côte de Kona — une île volcanique au sol noir — était trop escarpée, sans plages de sable blanc. Bien que ses eaux ne soient pas infestées de requins, rien ne les empêchait de s'en approcher.

Alors, que se passait-il ? Il n'était pas tombé du bateau par accident, elle l'avait clairement vu lever les bras pour plonger. Pourtant, il devait être en difficulté. Que faire ? Demander du secours à l'hôtel, tout proche, qui donnait sur la mer ?

Et puis non. Sue le lui avait assez répété, elle proposait son aide mal à propos et se battait pour des causes perdues. « Tu n'as pas à porter le poids du monde sur les épaules, ma pauvre chérie, disait-elle. Un jour tu t'attireras des ennuis. C'est très joli de vouloir jouer les bons Samaritains mais, de toute façon, tu ne changeras jamais l'humanité. Ferme tes grands yeux verts et ne mets pas ton nez dans les affaires des autres ; tout le monde n'apprécierait pas forcément ton aide. »

Sue avait probablement raison. Et si cet homme aimait tout simplement les bains de minuit ? Elle se montait la tête en imaginant autre chose. Mieux valait attendre.

Mais elle en était incapable. Elle allait enfiler ses palmes quand il émergea. Il s'était considérablement rapproché et fendait l'eau avec une rapidité confondante. Il n'avait pas d'ennuis : il nageait vite et bien. Elle se félicita de n'être pas intervenue quand elle le vit se diriger vers elle. L'avait-il repérée ? Venait-il à sa rencontre ? Ridicule. Son imagination s'emballait une fois de plus. Elle confondait réalité et rêverie romantique.

Des éclats de lumière jaillirent du bateau, fouillant la surface de l'eau. Ils le cherchent, pensa-t-elle. Mais pourquoi ?

Trois hommes couraient sur le pont, descendaient un canot. Le nageur allait atteindre la côte mais il faiblissait.

Il est épuisé, songea-t-elle. La distance était peut-être plus longue qu'il n'y paraissait. Il levait moins haut les bras. Que ce soit son affaire ou non, elle allait intervenir.

Des coups de feu partirent du navire, trouant l'eau à quelques mètres de l'inconnu. Il disparut sous la surface et Marilyn se coucha derrière un rocher. Que se passait-il ? Pourquoi tiraient-ils sur lui ?

Son cœur battait à tout rompre. Les idées s'entrechoquaient dans son cerveau. Ils cherchent à le tuer. Mets-toi à l'abri. Est-il touché ? Allons, n'oublie pas : tu n'es pas chargée de porter le poids du monde !

Une vague s'écrasa sur la grève dans un déferlement d'écume. Elle frissonna. Les coups de feu avaient cessé aussi brutalement qu'ils avaient commencé et, maintenant, l'eau lui paraissait froide et hostile. Qu'était-il advenu du nageur ? Il fallait qu'elle sache. Elle rampa hors de son abri et le vit se débattre dans les rochers, à demi suffoqué.

Il est blessé, pensa-t-elle.

— Par ici ! cria-t-elle à mi-voix.

Sans prendre garde au sol rugueux, elle s'allongea et lui tendit la main.

— Mettez-vous à l'abri, malheureuse !

Il roula sur lui-même et l'entraîna dans son mouvement.

— Vous voulez nous faire tuer tous les deux !

Pourquoi criait-il de la sorte ? Elle essayait de l'aider !

— Je...

Elle ne put continuer : une main au goût salé s'était plaquée sur ses lèvres. Elle retint son souffle en percevant cette présence si vivante et si puissante.

— Ecoutez, reprit-elle quand il libéra son étreinte, attendez, je...

— Chut !

Il appuya sa tête contre son torse, se hissa légèrement pour inspecter la mer.

— Ils m'ont repéré. Je ne puis rester ici.

— Qui êtes-vous ? Pourquoi vous pourchassent-ils ?

Il se leva et l'aida à se redresser. Sa présence lui plaisait, mais pas le risque de se faire tuer. Pourquoi ne s'expliquait-il pas ? Pourquoi ne lui donnait-il pas les règles du jeu ? Si seulement il pouvait s'agir d'un jeu !

— Bien, commença-t-il, le moment est mal choisi pour des présentations mondaines, mais n'ayez pas peur de moi. Je m'appelle Jeff Thompson, je travaille pour le F.B.I. et j'ai découvert sur ce bateau certaines choses que les occupants souhaiteraient garder secrètes. Maintenant, vous voilà impliquée dans l'affaire. Venez.

Il la prit par la main et l'entraîna vers l'hôtel au sommet de la falaise.

— Je suis navré de vous embarquer ainsi, mais vous avez joué de malchance en vous trouvant sur mon chemin.

Elle avait l'impression d'entendre un écho aux avertissements de sa sœur aînée...

— Attendez...

Des bruits nouveaux montaient de l'océan : un moteur proche, des voix. Puis ce fut le silence, un silence total, trop parfait pour la rassurer.

— Partez sans moi, murmura-t-elle. Vous irez plus vite.

Après tout, elle ne risquait rien, elle. Elle ne possédait aucune information ultra-secrète. Ils ne la recherchaient pas. Elle risquait sans doute plus à le suivre qu'à rester là.

Sentant sa résistance, Jeff l'attira à lui avec une certaine brusquerie.

— Vous êtes inconsciente ! s'exclama-t-il. Vous ne pensez tout de même pas qu'ils vous laisseront saine et sauve ! Ce n'est pas un jeu !

Les yeux brillants fixés sur elle lui ôtèrent ses dernières illusions.

— Ils ne plaisantent pas. S'ils vous trouvent, ils comprendront que vous m'avez vu, et alors je ne donnerai pas cher de votre peau.

Pourquoi n'était-elle pas restée dans sa chambre ? A l'écart des ennuis, en sécurité ! Tout d'un coup, le diagnostic du Dr Carrow perdait toute son importance. Si Jeff disait vrai, elle risquait à tout moment de recevoir une balle.

La douce odeur du jasmin et des frangipaniers en fleurs flottait dans l'atmosphère. Hawaii la Romantique, songea amèrement la jeune femme, l'endroit idéal pour réfléchir sur son désir d'avoir ou non des enfants...

— Etes-vous descendue là ? demanda-t-il en désignant l'hôtel.

— Oui, murmura-t-elle. Ma chambre se trouve au premier, de l'autre côté.

Elle indiqua le patio pour lui prouver qu'elle n'avait que quelques mètres à franchir. Il la regardait et elle en oublia un instant le danger, les balles et sa frayeur.

— Vous y serez en sécurité.

Il releva son foulard blanc, à moitié détaché. Un anneau d'argent brillait à son annulaire gauche, deux serpents mêlés, aux yeux de turquoise.

— Vous avez sans doute eu très peur, reprit-il d'une voix sombre, mais c'est fini maintenant. Rentrez et oubliez tout cela.

Il glissa l'écharpe dans la poche de son pantalon, lui serra l'épaule et la poussa en direction de son hôtel.

Il restait là, encore mouillé, les cheveux plaqués sur le front, et elle le trouvait étrange, à la fois viril et vulnérable.

Soudain, elle comprit pleinement son souci de la protéger. Et lui ? S'il disait vrai, s'il faisait partie du F.B.I., alors il était en danger. Comment, dès lors, fuir en l'abandonnant à ses poursuivants ?

— Et vous ?

— Ce n'est rien, j'ai l'habitude.

Il jeta un coup d'œil par-dessus son épaule.

Elle n'en crut pas un mot. Personne ne peut s'habituer aux coups de feu.

Le canot avait atteint la côte.

— Filez vite, maintenant.

Il tremblait de froid.

— Et oubliez tout cela. Vous n'êtes plus concernée. Oubliez même que vous m'avez vu.

L'oublier, lui ? Elle savait déjà que c'était impossible. Jamais elle ne le pourrait.

— Je ne vous laisserai pas ainsi.

— Ne vous inquiétez pas pour moi. Allez-vous-en vite, vous perdez un temps précieux !

Mais, à son tour, elle se refusait à l'abandonner. Elle secoua la tête. Elle qui consacrait sa vie à la défense des animaux en détresse, comment pourrait-elle tourner le dos à un être humain en difficulté ?

— Ma chambre est là, dit-elle en lui prenant la main.

Elle lui montra une terrasse en entresol.

— Ne restez pas là, ils vont vous trouver.

Il haussa les épaules.

— Je m'en tirerai.

Elle le regarda un instant, lui à la fois si fort et si exposé, et elle eut envie de l'aider. Il avait déjà couru assez de risques.

— Je ne vous crois pas, dit-elle.

Elle le défiait du haut de son mètre soixante-quatre.

— Arrêtez de jouer les supermen et suivez-moi !

Malgré leur différence de gabarit, elle ne semblait pas le moins du monde impressionnée. Jeff Thompson ne lui faisait pas peur.

— Non.

Il secoua la tête et des gouttes d'eau coulèrent sur son front.

— Je ne veux pas vous mêler davantage à cette histoire. C'est dangereux.

— Trop tard. Vous avez bien dit qu'ils pourraient s'en prendre à moi, s'ils m'ont vue. Alors j'ai peur de rester seule, voilà !

En un sens, c'était presque vrai : elle avait autant besoin de la protection de cet homme que lui de la sienne. D'ailleurs, elle se sentirait en danger tant que lui ne serait pas en sécurité. Ils devaient rester ensemble. Son instinct le lui criait.

Il l'obligea à relever le menton et scruta son visage. Il avait les doigts calleux et elle les sentit effleurer rugueusement sa peau.

— Vous êtes têtue !

Il jeta un coup d'œil vers les rochers et fronça les sourcils.

— Je n'ai effectivement plus le choix, ils seront là d'un instant à l'autre. J'accepte donc votre invitation avec empressement. Allons-y.

Elle le prit par la main et traversa la pelouse en courant en direction des portes-fenêtres. Le rez-de-chaussée de la façade devenait un premier étage du côté de la mer à cause de la pente du terrain. Ils se faufilèrent entre les buissons qui bordaient la terrasse et se retrouvèrent dans la chambre.

Ses pieds nus, meurtris par les graviers, foulèrent avec soulagement l'épaisse moquette. A peine entrée, elle tendit automatiquement la main pour allumer.

— Non, murmura-t-il.

Il poussa le verrou.

— En éclairant, vous attirez immanquablement leur attention. Il vaut mieux rester dans le noir pour le moment.

Une brise fraîche gonflait les voilages mais il l'empêcha de nouveau d'intervenir.

— Laissez. Ne faites rien qui les amène à remarquer cette chambre. Tenons-nous tranquilles.

Elle s'écarta brusquement de la main qui la retenait : un liquide chaud en coulait.

— Vous saignez ! s'exclama-t-elle.

— Chut ! Moins fort.

— Mais vous avez besoin d'un docteur !

— Surtout pas. Ce serait le meilleur moyen de nous faire repérer.

Il porta la main à son épaule et ne put s'empêcher de grimacer, comme si, à cet instant seulement, il découvrait sa blessure.

Elle eut envie de caresser son visage, d'effacer toutes ces rides d'amertume, cette expression d'homme habitué depuis longtemps à la souffrance.

— Ce n'est qu'une éraflure, dit-il.

Sa voix puissante s'adoucissait comme par enchantement.

— N'ayez pas peur. Ce n'est pas grave, je pourrai m'en occuper tout seul. Cela m'est arrivé déjà plusieurs fois. Pourriez-vous me passer une serviette ?

Elle lui désigna la salle de bains, derrière lui.

— Mais, ajouta-t-elle, même superficielle, une blessure doit être d'abord nettoyée.

— Avez-vous un antiseptique ?

— De l'alcool à quatre-vingt-dix.

— Parfait.

A la lumière de la lune, elle prit un gant de toilette, deux serviettes et le flacon d'alcool. Quand elle revint dans la chambre, Jeff se tenait devant la fenêtre et surveillait la pelouse.

Elle s'approcha de lui.

— Voilà...

Il se retourna si brusquement qu'elle sursauta et recula d'un bond.

— Excusez-moi, dit-il, l'habitude. Ne vous approchez jamais de moi silencieusement.

Il lui posa gentiment une main sur le bras.

— Mais vous tremblez ! N'ayez pas peur. Je ne vous veux aucun mal !

Elle se le demandait, précisément. Après tout, que savait-elle de lui ?

Il lui prit les mains et les serra avec effusion.

— Merci pour votre aide. Je ne saurai jamais assez vous remercier.

Il porta sa paume à ses lèvres.

— Vous êtes si douce, si gentille. Jamais je ne pourrais vous faire de mal.

Il l'avait attirée à lui et, fermant les yeux, elle appuya sa tête contre son torse. Elle se sentait si bien avec lui. Il demeurait cependant pour elle une énigme, mélange surprenant d'agressivité et de tendresse. Elle voulut lui rendre sa caresse et lui posa la main sur l'épaule, mais se rappela alors sa blessure.

— Occupons-nous de cette plaie, dit-elle en s'écartant. Il me faudrait de la lumière.

— Allons dans la salle de bains.

Il s'assit sur le bord de la baignoire et elle ôta le sang avec de l'eau tiède. Il avait raison, la balle n'avait fait que l'érafler, mais une infection restait toujours possible. Marilyn nettoya avec du savon moussant, puis rinça. Jeff, crispé, ne disait rien. Toujours cet orgueil masculin, songea-t-elle. Pourquoi ne pas montrer ce qu'il ressent ? Elle avait l'impression de soigner une statue de pierre, une statue qui saignait.

— Je ne vous en tiendrai pas grief si vous vous plaignez, dit-elle.

En regardant enfin ce torse à la lumière, elle y distinguait des cicatrices, petites traces blanches sous la toison noire. D'où venaient-elles, se demanda la jeune femme, quand les avait-il reçues ? Elle voulait en savoir plus sur lui, elle voulait tout savoir.

— Je n'ai pas à me plaindre. Vous ne me faites pas mal.

Il lui prit les poignets, les tourna pour étudier ses paumes.

— Vous avez des mains très petites et très douces.

Elle ne quittait pas sa poitrine des yeux ; elle avait envie de passer les doigts sur cette peau tannée, de toucher ces cicatrices et d'en effacer tout souvenir de douleur.

Comme s'il lisait dans ses pensées, il posa ses mains sur les siennes pour les garder contre son cœur.

— Petites et douces, murmura-t-il de sa voix profonde, comme vous.

Parcourue d'une onde de joie sensuelle, elle vit passer dans les yeux de Jeff Thompson un même élan de passion difficilement réprimable. Il allait l'embrasser. Elle avait envie qu'il l'embrasse.

Le sang qu'elle vit de nouveau couler sur sa main la rappela à la réalité.

— Vous voyez, dit-il d'un air désabusé, j'abîme tout ce que j'approche.

Il plongea ses yeux dans les siens, sourcils froncés.

— Il y a si longtemps, avoua-t-il, que je n'ai... vu de femme...

Indéniablement, il la désirait, mais elle percevait entre eux un obstacle qu'elle ne parvenait pas à définir. Prévention ? Peur ? Ou cherchait-il à l'avertir d'un risque ?

— Il ne faut pas me regarder ainsi, reprit-il, c'est trop... vous êtes...

Il ferma les yeux et passa les doigts dans ses cheveux rebelles, puis se détourna sans rien dire.

Il me rejette, pensa-t-elle. Quelle qu'en fût la raison, il lui signifiait qu'elle allait trop loin, que, malgré toute sa reconnaissance, il ne voulait pas d'elle.

Evidemment. Elle aurait dû s'y attendre. Pourquoi un homme aussi séduisant s'intéresserait-il à elle ? Si seulement elle avait eu la beauté de Sue...

— J'achève ce que j'ai commencé, dit-elle pour cacher son embarras.

Elle prit le flacon d'alcool.

— Si vous avez mal, ne m'en veuillez pas.

Elle répugnait à le faire souffrir. Intuitivement, elle sentait qu'il en avait déjà eu plus que sa part. Mais lorsqu'elle versa le liquide sur la plaie, il ne frémit même pas. Elle devina seulement qu'il serrait les dents et ne fit aucun commentaire.

Tandis qu'elle préparait un pansement avec la serviette, il se détendit.

— Ne faites pas cette tête-là ! s'exclama-t-il en souriant. Parlez-moi plutôt de vous.

— Il n'y a pas grand-chose à dire. Je m'appelle Marilyn Fancher et j'enseigne la biologie marine dans le Maryland.

— L'université ?

— Non, une petite école privée à la sortie de Baltimore.

Elle haussa un sourcil étonné.

— Vous connaissez la région ?

— Je suis de Washington, où j'ai d'ailleurs commencé par travailler derrière un bureau.

Il sourit.

— En complet veston, avec des horaires. La mort, quoi !

— Parce que, maintenant, vous ne la risquez plus, la mort ?

— Au moins, je n'ai plus le temps de réfléchir.

Etrange remarque, à moins que ses pensées ne soient insupportables à affronter. Dans ce cas, le danger et l'action lui servaient de dérivatif. Elle comprenait sans peine que l'on veuille fuir ses problèmes. Elle-même l'avait tenté ; hélas, sans succès !

— Vous êtes épuisé, dit-elle. Votre blessure n'est peut-être pas grave, mais vous avez perdu beaucoup de sang. Et votre jean est mouillé. Otez-le.

Elle lui tendit le drap de bain.

— Mettez ceci et allez vous étendre.

Il ne se fit pas prier.

— Je n'ai effectivement pas beaucoup dormi ces derniers jours... Ils ne partiront sans doute pas de sitôt, alors je vais suivre votre conseil...

Il retourna dans la chambre, se débarrassa de ses vêtements, ceignit le drap comme un pagne et s'allongea sur le lit.

— Je ne dois pas m'attarder, mais je suis épuisé. Soyez gentille, réveillez-moi dans un quart d'heure.

Du fond de la salle de bains, elle entendait sa respiration régulière. Il s'était immédiatement assoupi, mais elle ne s'y fiait pas, se rappelant son métier et ses réflexes fulgurants : il ouvrirait les yeux à l'instant même où elle s'approcherait du lit.

Elle enleva son bikini sans se presser, passa l'ample tee-shirt qu'elle portait en guise de chemise de nuit et vint s'installer dans le fauteuil, face à la fenêtre. Il avait plié son jean sur le dossier et elle y passa la main comme si le contact avec cette rude étoffe pouvait l'aider à mieux le connaître. Mais elle ne sentit qu'une toile humide et l'odeur de la mer.

Elle regarda Jeff endormi. Un rayon de lune éclairait son visage apaisé. Sans cette barbe de trois jours, il aurait paru très jeune. Quel air avait-il, bien rasé ? Ses joues étaient-elles aussi tannées que son torse, sa mâchoire aussi carrée qu'elle le paraissait ? Et ses lèvres ? Perdraient-elles leur arrogance silencieuse sous des baisers ? Le saurait-elle jamais ?

Il se retourna sur le dos et elle eut tout d'abord du mal à comprendre ce qu'il murmurait :

— Non... non...

Il ne parlait pas fort, mais assez distinctement pour qu'elle saisît bientôt ses paroles :

— Arrêtez... Laissez-la tranquille... Ne lui faites pas ça... pas elle...

Elle fronça légèrement les sourcils, impressionnée par cette sourde terreur, et se précipita vers le lit. Redoutait-il encore les hommes qui le pourchassaient ? Elle devait le réveiller, l'arracher à son rêve, lui dire que tout allait bien, qu'ils se trouvaient tous deux en sécurité.

A sa grande surprise, elle ne parvint pas à le tirer de son sommeil. Il marmonnait des mots incompréhensibles. Son front était trempé de sueur et il tremblait de tous ses membres, secoué de spasmes.

— Jeff, murmura-t-elle en lui caressant le visage, Jeff, revenez à vous. Ce n'est qu'un mauvais rêve! S'il vous plaît, Jeff!

Il frissonna et soudain ouvrit grands les yeux, la contempla fixement.

— Vous faisiez un cauchemar.

Elle passa un mouchoir sur son visage brûlant de fièvre.

— Ce n'est rien, poursuivit-elle. C'est fini.

— Fini?

Il se redressa légèrement, secoua la tête.

— J'aimerais pouvoir en dire autant!

Il poussa un grand soupir, attira la jeune femme à lui, caressa doucement sa jambe comme si cette peau satinée le rassurait.

Elle le laissa ôter son tee-shirt. Il lui avait plu dès la première seconde. Comment aurait-elle pu le repousser?

La serviette de bain s'était dénouée, révélant le corps puissant et rude de cet homme, encore inconnu le matin même. Mais c'était bien lui qu'elle avait attendu si longtemps, elle n'en doutait pas un instant. Elle l'entoura de ses bras, lui caressa le dos, l'étreignit avec une joie sauvage qu'elle ne se connaissait pas.

— Oh, Carrie! murmurait-il. Ma douce Carrie, laisse-moi t'embrasser et t'aimer.

Il avait parlé d'une voix à peine audible, mais Marilyn avait tout de même compris.

Le cœur glacé, elle le repoussa brusquement.

— Je ne suis pas Carrie.

Qui était-ce ? Elle revit l'alliance aux deux serpents enlacés. Son épouse ? En tout cas une femme qu'il devait aimer pour l'appeler en un pareil moment. Le rêve fragile éclatait comme une bulle de savon.

Il s'était assis et l'observait avec intensité, comme s'il ne la reconnaissait pas, la voyait pour la première fois.

Il se prit le front dans la main, confondu.

— La biologiste, murmura-t-il. Que m'est-il arrivé ? Qu'ai-je fait ? Seigneur, qu'ai-je fait ?

Trois coups frappés à la porte l'empêchèrent de répondre.

2

Perdus dans leurs pensées, ils sursautèrent ; ce bruit venait pour eux d'un autre monde. Ils se figèrent ensemble et se regardèrent.

— Chut ! souffla-t-il. Ne répondez pas. Ils vont sans doute s'en aller.

On frappa de nouveau, plus fort, cette fois.

— Mademoiselle Fancher ?

L'homme parla doucement à travers le panneau :

— Nous savons que vous êtes là, mademoiselle Fancher.

Jeff posa son index sur les lèvres de Marilyn.

— Demandez qui parle mais ne leur révélez rien. Dites que vous dormez.

Elle hocha la tête, le cœur battant si fort qu'elle serra instinctivement les bras sur sa poitrine, dans un geste de protection dérisoire.

— Qui est-ce ? fit-elle d'une voix endormie.

— Sam Adams. Je fais partie du service de sécurité de cet établissement.

L'homme s'exprimait d'une voix ferme et calme.

— Excusez-nous de vous déranger, mais vous

devez nous laisser entrer. Nous fouillons toutes les chambres.

En soupirant, elle se tourna vers Jeff.

— Ça va, chuchota-t-elle, c'est le détective.

Quel soulagement ! Il pourrait certainement aider un agent du F.B.I. et garantir sa sécurité.

— Je n'y crois pas, marmonna-t-il. Il s'agit certainement d'un des hommes lancés à ma poursuite. Il faut que je m'en aille.

— Mais c'est le détective ! protesta-t-elle. Je le connais !

— Je vous expliquerai plus tard. Faites-moi confiance. Restez dans votre chambre, vous y serez en sécurité. Ils n'oseront pas s'attaquer à vous dans cet hôtel.

— Qu'allez-vous faire ?

— Ne vous inquiétez pas. Et ne croyez pas ce qu'ils vous raconteront. Ne leur dites surtout pas que j'étais ici.

Il l'embrassa doucement sur la bouche et, cette fois, c'était bien elle qu'il embrassait ; mais, à peine esquissé, le baiser s'achevait déjà.

— Je vous en prie... croyez-moi. Aidez-moi.

Il lui serra le bras puis courut enfiler son jean, tira la porte-fenêtre qui glissa sans bruit sur son rail.

Marilyn eut envie de crier mais elle se tut.

— Mademoiselle Fancher ! insistait le policier. Nous entrons.

Elle l'entendit essayer une clef dans la serrure, sans succès : elle avait tiré le loquet.

— Attendez, je m'habille. Je dormais.

Elle devait laisser à Jeff le temps de s'enfuir. Elle jeta un coup d'œil sur la pelouse mais il avait disparu, ou se cachait dans les buissons.

— J'arrive.

Elle enfila en hâte son tee-shirt et le slip de son bikini. Elle allait tâcher de ne pas les laisser entrer, de discuter dans le corridor.

Ils étaient trois. Celui du milieu, le plus petit, portait un pantalon de coton blanc et une chemise à fleurs rouges et blanches. Elle le reconnut aussitôt à son teint rougeaud et à son crâne chauve.

— Sam Adams, détective.

Il fit un pas en avant et les deux autres le suivirent.

— Un instant ! dit-elle en bloquant l'entrée. Montrez-moi ceci.

Elle attrapa son portefeuille et leur claqua la porte au nez. La photo correspondait, mais plus longtemps elle les empêcherait d'entrer, plus elle mettrait de distance entre Jeff et eux.

— Mais que faites-vous ? cria Adams en tapant sur le panneau. Ouvrez !

— Je vérifie votre carte.

Elle décrocha le téléphone.

— Qui me prouve votre identité ? cria-t-elle.

Quand le réceptionniste lui eut confirmé la description du détective et sa mission, elle les laissa entrer, pour ne pas éveiller leurs soupçons, dernière chose à faire dans ces circonstances.

— Que se passe-t-il ? demanda-t-elle en rendant le portefeuille.

— Nous sommes des agents fédéraux, du F.B.I., mademoiselle, répondit un des deux hommes. Un prisonnier confié à notre garde s'est échappé il y a trois quarts d'heure.

Il regarda la moquette, se pencha pour toucher les taches qui la maculaient.

— C'est mouillé, dit-il.

Des agents fédéraux ? Un prisonnier en fuite ? Marilyn restait pétrifiée. Et si Jeff lui avait menti ? Qui croire ?

— Pouvez-vous me montrer vos papiers ?

Pourquoi ne les avait-elle pas réclamés à Jeff ? Pourquoi s'était-elle aussitôt fiée à ses paroles ?

— Nous ne les avons pas sur nous, dit l'un des hommes qui portait une cicatrice au menton. Nous sommes en mission secrète mais Sam peut se porter garant pour nous.

— Tout à fait, assura ce dernier.

— Que dites-vous de ceci ? demanda l'autre.

A quatre pattes sur la moquette, il reniflait les taches comme un chien sur une piste.

Jeff lui avait demandé sa confiance et elle la lui avait accordée, sans preuve, par une décision plus émotionnelle que rationnelle.

Elle prit un air méprisant.

— Je suis biologiste, spécialisée en faune marine, et je rapporte chaque jour des spécimens recueillis sur les rochers. Quand le vent s'est levé, je suis rentrée.

Elle chercha des yeux son sac de plastique.

— C'est étrange, je...

— Ceci vous appartient ?

Adams désignait le sac dans la main d'un des agents.

— Nous l'avons retrouvé sur les rochers. Jeff Thompson — l'homme que nous recherchons — est passé par là cette nuit. Nous espérions que vous l'auriez vu.

— J'aurais aimé vous aider.

Elle reprit son bien.

— J'ai passé presque toutes mes nuits dehors mais je n'ai jamais vu personne. Vous savez ce que c'est, les gens préfèrent sortir le jour pour profiter du soleil, mais dès que le soir tombe...

Adams l'interrompit :

— Oui, nous savons, mais faites tout de même un effort de mémoire.

— Je peux vous assurer que je n'ai rien remarqué.

Elle vérifia le contenu du sac.

— Merci, certains de ces spécimens sont très précieux pour moi.

Afin de détourner leur attention de la moquette humide, elle sortit l'anémone de mer.

— Regardez, on n'en trouve que dans le Pacifique. Jamais dans l'Atlantique.

Si seulement ils pouvaient s'y intéresser autant qu'elle...

Mais ils se moquaient bien de la flore marine ; ils ne pensaient qu'à leur enquête. L'homme aux paupières lourdes fouillait la salle de bains et en ressortait avec le gant de toilette ensanglanté qui avait servi à laver la plaie de Jeff Thompson.

— Qu'est-ce que c'est ? demanda-t-il.

Ses yeux bleus, froids comme la glace, la dévisageaient.

Elle s'indigna.

— Je vous ai déjà dit que le vent et le soleil ne me réussissaient pas, prétendit-elle. J'ai saigné du nez toute la soirée !

— Excusez-nous...

L'autre avait reculé. Instinctivement, elle avait adopté la bonne attitude : celle de l'innocence outragée. Plus elle crierait, plus ils la croiraient.

Elle aperçut alors Sam Adams et l'homme à la cicatrice qui ouvraient la porte-fenêtre. Elle devait à tout prix détourner leur attention.

— Quel toupet ! reprit-elle. Inspectez mes bagages tant que vous y êtes ! Allez voir aussi sous le lit, ou dans le placard ! Vous vous moquez de moi !

— Pardon, répondit Sam. Mais il y va aussi de votre sécurité, mademoiselle.

Elle l'entendait à peine tant une voix criait dans sa tête : ne les laisse pas sortir, ne les laisse pas faire, ne les laisse pas trouver Jeff. Ils le tueraient s'ils mettaient la main sur lui.

— Il n'est pas là non plus ! criait-elle, à bout de nerfs. Je le saurais tout de même ! Il n'est jamais venu chez moi et je me plaindrai de cette intrusion dans ma chambre !

Elle s'avança vers eux pour les forcer à battre en retraite.

— Maintenant sortez d'ici !

— C'est un homme dangereux.

Adams l'avait carrément bousculée pour se précipiter sur la terrasse.

— Regardez ! cria-t-il soudain. Là-bas !

Les deux autres sortirent à sa suite et elle demeura seule à l'intérieur, blême. Ils l'avaient retrouvé ! Il ne pouvait se cacher ailleurs que dans ces buissons.

— Mademoiselle ! lança le détective. Regardez ces buissons écrasés ! Comme si on les avait écartés...

Soulagée, elle vint les rejoindre.

— Et alors ? Adressez-vous aux jardiniers !

Ainsi, il avait sauté sur la pelouse en contrebas, au risque de se fracasser contre les rochers de la falaise. Apparemment, le risque était moins grand que de tomber aux mains de ces trois brutes.

— Il se sera réfugié sur votre terrasse à votre insu, observa le détective d'un ton dubitatif. Il doit être loin maintenant.

Il revint dans la chambre, ferma la fenêtre.

— En tout cas, reprit-il, si jamais il reparaissait, n'hésitez pas à nous appeler.

Il lui tendit une carte.

— Voici mon numéro de téléphone. Cet homme est dangereux. Si vous vous trouviez sur son chemin...

Il se passa le pouce sur la gorge d'un geste

significatif. Avant de sortir, il s'arrêta de nouveau, la main sur la poignée de la porte.

— Ne vous laissez pas abuser par ce genre d'individu. Ils sont rusés et n'hésitent pas à profiter de la naïveté d'une femme avant de la tuer...

Il marqua une hésitation, comme pour donner plus de poids à son avertissement :

— Bonne nuit, mademoiselle. Désolé de vous avoir dérangée. Fermez bien votre porte et n'oubliez pas pour Thompson : il est dangereux.

Ils disparurent enfin dans le corridor.

Marilyn ferma le loquet et courut vers la terrasse. Pas un bruit, pas un mouvement. Jeff avait disparu aussi soudainement qu'il était entré dans sa vie.

Maintenant, quelques heures plus tard, elle regardait le ciel mauve de l'aurore tout en se demandant où Jeff se trouvait. Elle savait qu'il était inutile de l'attendre. Il ne reviendrait évidemment pas. Pourtant, elle ne pouvait s'empêcher de s'inquiéter pour lui. Etait-il sain et sauf ? Elle ne le saurait pas en restant dans sa chambre. Elle décida de passer à l'action.

Elle prit une douche et s'habilla d'un short blanc et d'un chemisier rose, noué sous ses seins. Tout l'hôtel était climatisé mais, dès que l'on s'aventurait au-dehors, l'air lourd vous suffoquait.

Il était encore tôt et, pourtant, les femmes de chambre s'activaient déjà. Tout le monde n'était pas à Hawaii pour passer des vacances.

Elle allait parler de Jeff avec Sam Adams. Une

démarche bien naturelle après son intrusion de la nuit précédente. En fait, il risquait même d'être surpris si elle ne l'interrogeait pas.

Elle se dirigea vers la réception où, habituellement, le matin, il buvait son café en bavardant avec les employés. Aujourd'hui, la réunion paraissait plus animée qu'à l'accoutumée. Deux groupes venaient d'arriver en même temps et les gens échangeaient leurs numéros de chambre avant de prendre l'ascenseur.

Ne voyant pas le détective, elle s'adressa au réceptionniste :

— Excusez-moi. Où puis-je trouver Sam Adams, s'il vous plaît ?

— Il ne travaille pas aujourd'hui. Voulez-vous que j'appelle un groom ?

— Non, merci. Je voulais Sam lui-même.

— Allez voir du côté du port. Il devait arbitrer un concours de pêche, je crois.

Elle remercia, sortit en courant, loua une bicyclette et partit, heureuse de pouvoir réfléchir tout en roulant.

Elle suivit un groupe d'adolescents qui se dirigeaient vers l'une des rares plages de sable de Kona.

Ils passèrent devant l'église de bois et la minuscule plage où ils s'installèrent.

Elle-même alla garer sa bicyclette près du port, acheta un sandwich, du café et partit se promener tranquillement le long du quai. Mais elle acheva son déjeuner sans avoir repéré Sam Adams. Elle se fraya un chemin parmi les pêcheurs. C'était l'heure de la pesée quotidienne des poissons.

Un grand homme brun à lunettes noires discutait avec une Polynésienne assise derrière le bureau des ventes. Quand il aperçut Marilyn, il conclut rapidement la conversation et se plongea dans la lecture du règlement, affiché non loin de là, lui tournant ostensiblement le dos. Comme s'il désirait l'éviter. Ridicule, se dit-elle. Pourquoi cet inconnu redouterait-il de la rencontrer ? A moins que...

Elle éprouva un choc soudain. A sa façon de bouger, elle reconnaissait... Jeff. Elle rejeta vite cette idée. Même peau bronzée, mais cheveux trop bien coupés, visage trop bien rasé. Si seulement elle pouvait voir ses yeux... Mais non, il ne pouvait s'agir de lui ; elle se montait la tête à force de penser à lui. Etait-il parvenu à s'échapper ? Seul Sam Adams pourrait répondre à cette question.

— Puis-je vous renseigner ? demanda la femme en se penchant sur son bureau.

— Peut-être. Je cherche Sam Adams.

La Polynésienne parcourut une liste de noms.

— Sam Adams... répéta-t-elle.

Marilyn pianotait impatiemment sur le bois de la table, sans quitter des yeux l'homme toujours plongé dans la lecture du panneau.

— Non, dit enfin la femme en souriant. En fait, je ne l'ai pas vu depuis hier.

Elle lui tendit un carnet et un crayon.

— Si vous voulez laisser votre nom, je lui dirai que vous l'avez demandé.

Marilyn secoua la tête. Inutile de témoigner d'un intérêt extrême.

— Non, merci. Rien d'urgent. Je le verrai plus tard.

Elle tourna les talons, avec la désagréable impression d'être observée. En passant devant une voiture, elle vit dans le pare-brise le reflet de l'homme qui s'était retourné et l'observait derrière ses lunettes noires. Un ami d'Adams ? Sans doute. Pour se donner une contenance, elle poursuivit sa promenade et parvint au bout du quai où était amarré un bateau à fond de verre. Elle l'avait déjà emprunté plusieurs fois tant les eaux claires de l'océan étaient belles à voir, ainsi illuminées par les projecteurs du bateau. Sous les pieds des passagers se révélait une flore mouvante, des coraux, des poissons multicolores. Elle connaissait maintenant le capitaine, et Chuck, l'un des hommes d'équipage, étudiant dans son cours, l'année précédente, à l'université d'été d'Honolulu. A présent, il plongeait pour amuser les touristes, cherchait du corail et nourrissait les poissons sous le fond de verre.

Elle sauta à bord pour lui demander s'il avait jamais exploré la barrière de corail blanc, derrière l'hôtel. Mais elle n'écouta pas sa réponse, surprise de reconnaître un des voyageurs. Une heure plus tôt, il se tenait auprès d'elle, à la réception. Depuis, leurs chemins s'étaient croisés déjà quatre fois. Beaucoup pour une simple coïncidence...

Quant à l'homme aux lunettes noires, il se

détourna à l'instant même où elle lui jeta un coup d'œil.

Non, se dit-elle fermement, ils doivent juste chercher à lier connaissance. Les événements de la nuit la rendaient trop nerveuse.

Elle enfourcha sa bicyclette et partit à travers la ville à la recherche de souvenirs : des boucles d'oreilles pour Sue, une chemise hawaiienne pour Dave, son beau-frère, un masque et un tuba pour Bobby, leur fils. Elle rangea ses achats dans les sacoches et reprit le chemin de l'hôtel. Peut-être Adams serait-il rentré entre-temps. Le sort de Jeff la préoccupait de plus en plus.

Adams n'était pas là mais, cette fois, elle apprit immédiatement où il se trouvait : en prison. Tout l'hôtel, du dernier employé au directeur, était en ébullition.

— C'est incroyable ! s'exclama le réceptionniste.

Il tendit le journal à la jeune femme.

— C'est bien vous qui vouliez le voir ce matin, n'est-ce pas ?

— Oui. Que s'est-il passé ?

— Lisez.

Elle ne se fit pas prier. Sam Adams et deux autres hommes venaient d'être appréhendés par la police. Elle les reconnut sur la photo. Aucun doute ! Ainsi Jeff lui avait dit la vérité. Quel soulagement !

— Extraordinaire, n'est-ce pas ? commenta le réceptionniste. Qui aurait cru cela de Sam ?...

— Puis-je garder le journal ? demanda-t-elle.

Elle serait mieux dans sa chambre pour chercher des informations sur Jeff.

Mais elle n'en trouva pas. Elle relut trois fois l'article, aucune mention de lui. Peut-être dans l'édition du soir, mais elle n'avait pas le courage d'attendre jusque-là. Elle voulait savoir tout de suite.

Elle sortit en coup de vent de sa chambre, juste pour voir disparaître au coin du corridor le mystérieux individu de la matinée. De plus en plus étrange... De quel bord était-il ? Un ami de Sam Adams ? Prise d'appréhension, ou de frayeur, elle ne savait trop — mais ni la confiance ni le courage n'étaient au rendez-vous —, elle revint dans sa chambre et s'y enferma à double tour.

Et maintenant ? D'abord uniquement préoccupée de la sécurité de Jeff, elle commençait — peut-être à tort — à craindre pour la sienne. Elle se sentait incapable de mettre le nez dehors. Que faire ? Elle relut nerveusement la ligne qui avait, dès le début, attiré son attention : « Toute personne qui pourrait fournir des renseignements sur ces hommes est priée de se faire connaître du F.B.I. »

Suivait un numéro de téléphone.

Elle le composa. Des renseignements, elle en fournirait certains, en demanderait d'autres. Et n'aurait-elle pas besoin de protection contre les deux inconnus qui la filaient depuis le matin ?

Un certain agent Simonson lui répondit et elle perçut la sonnerie intermittente indiquant que leur conversation était enregistrée.

— J'ai lu l'article dans le journal, dit-elle après avoir décliné son identité, et j'aimerais avoir des nouvelles de Jeff Thompson.

Il y eut un silence au bout du fil puis elle eut l'impression qu'on parlait en bouchant l'écouteur. Suivit un déclic. Quelqu'un avait-il décroché un autre poste ?

— Pouvez-vous me répéter le nom ? demanda Simonson.

— Jeff Thompson. Je sais que Sam Adams le recherchait la nuit dernière. Comment va-t-il ?

— Je regrette, je ne connais personne de ce nom.

Que voulait-il dire ? Elle n'était pas folle ! Rêvait-elle, perdue dans les dédales d'un cauchemar incohérent ?

— Ecoutez, Jeff Thompson est venu dans ma chambre la nuit dernière. Je l'ai aidé à s'échapper et maintenant j'ai bien peur d'être suivie.

— Ne quittez pas.

De nouveau l'écouteur fut recouvert et Marilyn devina une conversation à mi-voix. Et puis :

— Mademoiselle Fancher, nous pouvons vous assurer que vous n'êtes pas en danger mais la situation est délicate. Ne parlez de Jeff Thompson à personne jusqu'à ce que nous reprenions contact avec vous. Indiquez-nous un endroit où nous pourrions vous rencontrer aujourd'hui.

Elle poussa un soupir, soulagée de s'entendre confirmer l'existence de Jeff. Elle ne perdait pas encore pied avec la réalité. Dieu merci.

— Eh bien, mademoiselle Fancher ?

— Oh, pardon ! Oui, bien entendu.

Pas dans sa chambre, mais dans un lieu où elle ne se sentirait pas trop isolée. La foule pouvait toujours la protéger d'une façon ou d'une autre. En ce moment, sa sécurité primait et elle ne savait plus à qui se fier. Elle finit par proposer le bar de l'hôtel à six heures du soir.

3

Jeff fut accueilli au son d'un *ukulélé* en pénétrant dans le bar au toit de chaume. Le temps de s'habituer à l'obscurité, il ne bougea pas. Une question d'habitude pour lui : ne jamais avancer sans savoir où il mettait les pieds.

Cependant, en venant rencontrer Marilyn Fancher, il dérogeait à l'une de ses principales règles de vie, celle de ne jamais s'attacher à une femme. Non qu'il détestât leur compagnie, mais il se contentait de relations éphémères, à prendre ou à laisser, qui ne créaient pas de liens. Marilyn Fancher était différente, une nuit avec elle pouvait vous engager pour la vie, ce qu'il ne saurait faire. Alors pourquoi venait-il ici ? Pourquoi n'avait-il pu se tenir à l'écart ?

Bien sûr, il lui était reconnaissant de son aide, mais la reconnaissance n'entrait pour rien dans sa présence ici. Impossible de se le cacher plus longtemps, il avait envie de la revoir, ne pouvait se résoudre à disparaître de sa vie.

Après s'être enfui de chez elle, il s'était aussitôt

rendu au quartier général pour remettre son rapport et faire arrêter Adams et ses deux acolytes. Mais pas les autres membres du réseau d'espionnage, toujours en fuite. Adams avait-il averti des complices avant son arrestation ?

Jeff se demandait si les explications de la jeune femme avaient vraiment convaincu de son innocence ses visiteurs de la nuit. L'un d'entre eux aurait pu la dénoncer à la bande. Elle se trouvait donc sous surveillance, mais l'ignorait ; moins elle en saurait, mieux elle se porterait. Alors pourquoi se montrait-elle si nerveuse ?

Lors de leur rencontre fortuite sur le port, elle ne l'avait pas reconnu, il s'était détourné à temps, écoutant avec délices sa voix calme et posée. Il revoyait ses longues jambes bronzées, cette silhouette mince et ondulante, cette belle peau de miel aussi féminine que sa voix. Il voulait la voir, à tout prix. Une femme inoubliable. Si indépendante, si sûre d'elle. Pourquoi refuser l'éventualité d'une aventure, après tout ?

Alors, à son appel, il s'était décidé à venir lui-même au lieu d'envoyer un autre agent. Et maintenant qu'il la revoyait, il comprenait qu'il l'avait toujours désirée. Dès l'instant où elle l'avait appelé de son rocher, il avait vu en elle son salut, il avait voulu la prendre dans ses bras, sentir la douceur de sa peau contre la sienne.

Il parcourut des yeux le bar à moitié vide. Assise à une petite table, dans le fond de la pièce, elle signait la note de sa consommation et la glissait sous la bougie. Elle ne l'avait pas remarqué mais lui pouvait contempler tout à son aise ses longs cheveux auburn, son beau visage doré, éclairé par la flamme dansante.

Les longues boucles cuivrées retombaient souplement sur ses épaules, dénudées par une robe bain de soleil à rayures turquoise et blanches. Il sourit. Elle ne ressemblait en rien à un professeur de collège.

Mais ce n'était pas une femme pour lui.

La musique s'arrêta et quelques applaudissements crépitèrent. Il s'avança dans sa direction, avec l'impression de commettre une erreur. Mais, depuis leur séparation, la nuit précédente, il savait qu'il la reverrait. Inexplicablement, il se sentait nerveux.

Elle leva les yeux vers lui et il y lut un trouble sans fard, comme le matin, sur le quai.

— Mademoiselle Fancher.

Il s'arrêta devant elle et lui tendit la main.

Elle la serra machinalement, la bouche et les yeux arrondis, incrédule.

— Jeff!

Un sourire de soulagement éclaira sa physionomie.

— Jeff Thompson.

Dieu merci, il était sain et sauf.

— Lui-même.

Il s'assit face à elle et lui rendit son sourire.

— Vous étiez sur le port, ce matin.

Elle fronça les sourcils, un peu perplexe.

— Il m'avait semblé vous reconnaître mais vous paraissiez tellement différent et vous ne m'avez rien dit... pas un mot.

Elle lui en voulait de toutes ses angoisses, depuis la veille. Il l'avait entendue s'enquérir de Sam Adams, et devait bien se douter des raisons de sa démarche.

— Pourquoi m'avoir laissée dans l'ignorance ?...

— Je vais vous expliquer.

Il eut cependant du mal à trouver ses mots : il s'attendait à être accueilli avec joie et sa colère le déroutait.

— Vous rendez-vous compte de mon inquiétude ? Pourquoi croyez-vous que je voulais voir Adams ? Je n'ai pas fermé l'œil de la nuit, imaginant Dieu sait quoi...

Maintenant qu'elle le savait hors de danger, elle explosait et se défoulait sur lui de toute son angoisse.

— Comment avez-vous pu rester planté là sans rien me dire ? Vous vous moquiez de ce que je pouvais ressentir, n'est-ce pas ? La moindre des politesses eût pourtant voulu que...

La politesse était le moindre des soucis du F.B.I. Jeff avait vérifié les contacts d'Adams et mis Marilyn hors de cause seulement en début d'après-midi, juste avant son coup de téléphone.

— J'en suis désolé, mais si vous vouliez bien m'écouter un peu...

— Vous écouter ?

Elle se leva brusquement.

— Ce matin, j'étais tellement inquiète que vous m'auriez fait croire n'importe quoi, mais maintenant...

Elle ramassa son sac, releva la bretelle de sa robe qui glissait.

— Ravie de vous savoir vivant.

Si elle ne s'était pas maîtrisée, elle l'aurait giflé, mais elle parvint à se contrôler et se dirigea dignement vers la sortie.

— Attendez.

Il l'attrapa par le poignet et la força à revenir s'asseoir. Rien ne se passait comme prévu. Où était la douce jeune femme de la nuit ?

— Laissez-moi.

Deux minutes auparavant, elle se réjouissait de le retrouver sain et sauf et maintenant elle l'aurait volontiers découpé en mille morceaux.

— Non. Restez ici !

Il fallait qu'elle s'asseye et l'écoute. Il était venu pour lui parler et mieux la connaître. Et puis, il devait la protéger, il relevait l'agent qui avait été chargé de la suivre discrètement.

Ses yeux étincelaient de colère. Pour qui se prenait-il ? Il disparaissait et Marilyn pleurait, il revenait et Marilyn souriait. Elle oubliait, pardonnait.

Elle se dégagea d'un geste brusque.

— Lâchez-moi ou je crie !

Cette fois il obéissait, abasourdi par cette rage froide.

Le temps qu'il reprenne ses esprits, elle avait

disparu. Il la retrouva dans le jardin, en train de courir vers l'hôtel. Il la dépassa puis se retourna vers elle pour l'empêcher d'avancer.

— Allez-vous me laisser, à la fin ?

Elle ne savait plus à qui elle en voulait vraiment ; à Jeff ou à elle-même ? Quand elle se mettait en colère, elle perdait tout sang-froid, tempêtait, se déchaînait.

Elle est de feu et de glace, se dit-il. Pour rien au monde il ne la laisserait lui échapper.

Il lui prit les mains, les posa sur son torse, comme la nuit précédente ; à nouveau, elle sentit son cœur battre sous ses paumes.

— C'est trop facile ! protesta-t-elle. Vous étiez là sur ce quai, à rire de moi, quand je vous croyais blessé ou mourant quelque part...

— Vous vous inquiétiez pour moi ?

— Oui, j'étais bien bête !

— Maintenant vous me savez en bonne santé et vous voilà furieuse ! Je ne comprends pas.

— Vous vous êtes moqué de moi, je...

Elle non plus ne comprenait pas. La logique fuyait sa vie depuis qu'elle avait rencontré Jeff.

Elle se comportait comme une gamine mal élevée et s'en voulait terriblement, se demandant seulement comment sortir la tête haute d'une telle situation.

— Excusez-moi, dit-il soudain. Je vous ai fait passer par de terribles moments. Puis-je vous inviter à dîner pour me faire pardonner ?

Il lui permettait de sauver la face. Soulagée, elle

allait acquiescer quand une voix intérieure lui cria de s'enfuir au plus vite. Plus elle s'approcherait d'un tel homme, plus elle risquait de se brûler les ailes. Il aimait une autre femme et ne lui offrait que son amitié. Un cadeau trop lourd pour elle.

— Je vous remercie, dit-elle. Mais ne vous croyez pas obligé de m'inviter à dîner...

— J'en ai envie, tout simplement.

Il lui posa la main sur l'épaule, lui caressa la nuque.

— Je comprends votre ressentiment, reprit-il, mais accordez-moi au moins le verre du condamné.

Il paraissait tellement sincère qu'elle n'eut pas le cœur de refuser et baissa les yeux en soupirant.

— Aimez-vous la cuisine japonaise ? demanda-t-il gaiement. Je connais un restaurant fréquenté par les gens du pays. Une bonne garantie, non ?

Elle serait heureuse d'y goûter, assura-t-elle. Durant le court trajet, elle se persuada qu'elle avait finalement eu raison d'accepter. Privé de son auréole de danger, dépouillé de son personnage de James Bond descendu de l'écran, Jeff redeviendrait un homme et se dévoilerait dans leur dîner en tête à tête. Peut-être saurait-elle le fin mot de l'histoire au sujet de Carrie. Quand elle le connaîtrait sous son vrai jour, ses rêveries s'évanouiraient d'elles-mêmes et elle le chasserait de son univers. Elle savait déjà qu'elle ne pouvait se fier à ce qu'il disait.

Ils abandonnèrent leurs chaussures à l'entrée du restaurant et une hôtesse en kimono noir fit glisser des panneaux de papier pour les mener dans un angle qui dominait l'océan. Plusieurs femmes les suivirent des yeux, regardant Jeff avec une admiration manifeste. Mais cet homme appartenait à une autre, aussi n'en éprouva-t-elle pas la moindre fierté. Elle s'absorba dans la contemplation de l'océan éclairé par la lune. A la vue de quelques bateaux, elle se rappela soudain le chalutier et ne put réprimer un frémissement.

Leur installation ne comportait pas de chaises mais des coussins et une table basse. Elle replia ses jambes sous elle et prit la serviette chaude que lui tendait l'hôtesse. Quand Jeff s'exprima en japonais, elle écarquilla les yeux. Il se tourna vers elle pour lui demander ce qu'elle voulait boire, et elle choisit du saké. La Japonaise s'inclina et s'éloigna.

— Vous m'impressionnez ! Vous semblez parler couramment !

Elle l'observait. Il n'avait vraiment rien d'oriental bien qu'il parût connaître cette langue comme s'il l'avait pratiquée toute sa vie.

— Rien d'extraordinaire, répondit-il, j'ai vécu à Tokyo jusqu'à l'âge de quatre ans. Mon père était pilote d'essai. Il a ensuite été nommé au Nouveau-Mexique, puis à Berlin...

— Et vous avez ainsi fait le tour du monde.

Un vieux rêve pour elle : elle enviait ses camarades de classe emmenés par leur famille dans des pays aux noms enchanteurs.

— Vous avez de la chance, soupira-t-elle.

— Croyez-vous ? Je détestais cette vie.

— Comment cela ? Découvrir tous ces pays, c'est une expérience inestimable pour un enfant ; pour un adulte aussi, d'ailleurs.

— Oui, si vous vivez sur un grand pied. Mais les enfants se moquent des mondanités et préfèrent pouvoir compter sur des parents aimants, un foyer stable, des arbres auxquels grimper...

Elle comprit ce qu'il voulait dire et, tandis que l'hôtesse apportait deux tasses, elle se rappela son déchirement au divorce de ses parents, quand elle avait douze ans. Elle conservait quand même le souvenir d'une petite enfance équilibrée, d'un foyer heureux. Lui non, semblait-il.

— Avez-vous des préférences pour le menu ? demanda-t-il, ou me laissez-vous commander ?

— Je vous fais confiance.

— C'est une erreur, murmura-t-il, une très grosse erreur.

Elle hésita.

— Parlez-vous du dîner ?

— Non, et vous le savez bien.

Elle n'aimait pas ces conversations à double sens où, par contre, Sue et sa mère excellaient.

— Je suis mon intuition, dit-elle sans le regarder.

— Vraiment ?

Le ton se voulait moqueur mais elle y perçut un rien de tendresse.

— Oui, et elle me trompe rarement.

Elle tenait trop à son indépendance pour lui laisser croire autre chose. D'ailleurs, depuis la mort de son père elle ne comptait que sur elle-même.

— Et si elle vous trompait, ce soir ?

Elle rougit et il en fut surpris. La nuit précédente, elle paraissait si sûre d'elle et ce soir, en sécurité, elle se troublait à la moindre occasion. Il la trouva étrange, mystérieuse.

— Peu importe, dit-elle en plongeant le nez dans son saké.

Elle le regarda passer la commande. Elle ne se débarrasserait pas de lui aussi facilement, après tout. Mais inutile de s'inquiéter, un simple dîner ne l'engageait pas pour la vie.

— J'espère que je ne vous ai pas choquée, reprit-il quand la serveuse se fut éloignée.

— Pas du tout. Les hommes posent toujours ce genre de question !

Il sourit.

— Je me comporte donc comme tous les hommes ! Je ne suis pas votre genre, je suppose ?

— Pas du tout.

Ignorait-il la force de sa séduction ? N'avait-il pas vu tous ces regards féminins braqués sur lui ?

— Mais je l'avoue, vous êtes le premier que je rencontre sous une pluie de projectiles.

— Ah, ça !

Il s'écarta un peu pour laisser la serveuse déposer des bols de viande et de salade devant eux.

— Je peux vous éclairer au moins sur ce point, poursuivit-il. Mon rôle dans cette affaire est terminé. Ils venaient de me découvrir sur le bateau, et voulaient me tuer, aussi ai-je sauté à l'eau pour leur échapper.

Il but un peu de son potage.

— Ce n'est pas la plus agréable façon de passer le temps, mais je suis payé pour ça.

La jeune femme frissonna, glacée par ses paroles, et avala un peu de liquide brûlant pour cacher son émoi.

— Pourquoi vous poursuivaient-ils ? Le journal a laissé entendre qu'il s'agissait d'espionnage.

— Dans un sens, oui. Et ils auraient réussi sans les renseignements recueillis par l'un de nos contacts. Un ingénieur de Seattle avait volé les plans d'un nouvel avion de combat ultra-secret et demandé à Adams de le mettre en contact avec des acheteurs éventuels. L'affaire était pratiquement négociée avec une grande puissance étrangère quand je me suis présenté comme un agent du Moyen-Orient prêt à faire une offre beaucoup plus intéressante.

— Vous les avez tous pris ?

— Non, pas leur chef, ni l'agent étranger. J'ai insisté pour ne traiter qu'avec eux, mais les autres se sont méfiés et ont pris des renseignements sur mon compte, trop de renseignements.

Il sourit.

— Vous connaissez la suite.

— J'ignore si mon imagination me joue des tours mais j'ai l'impression d'être suivie. Un homme de mon hôtel...

— Ne vous inquiétez pas, vous êtes en sécurité. Je vous en donne ma parole.

Elle allait lui demander comment il pouvait en

être aussi certain quand les parois de papier s'ouvrirent sur la serveuse. Elle s'inclina, alluma le brûleur et se mit en devoir de préparer le *yosenabe*, une sorte de fondue au poisson. Ses mouvements étaient si gracieux que le plus ingrat des devoirs, tel que couper des légumes, en devenait une sorte de cérémonie. Marilyn la contemplait, fascinée, écoutant ses explications, mais une pensée autrement dérangeante occupait son esprit : et si l'homme qu'ils n'avaient pas arrêté connaissait Jeff ? N'était-il pas encore en danger ? Et celui qui la suivait ? Elle n'avait pas encore pu en parler. Son malaise fit place à la peur. Lorsque la Japonaise salua et se retira, elle était trop bouleversée pour manger ; elle jouait avec ses aliments et les contemplait d'un œil fixe.

— Quelque chose ne va pas ?

— Le chef du réseau. Vous connaissait-il ?

— Nous l'espérons.

— Comment cela ?

Elle s'était attendue à tout sauf à cette réponse.

— S'il me croit au courant de son identité, il s'en prendra à moi, par conséquent il se découvrira.

Il prit un morceau de poisson entre ses baguettes.

— Assez parlé de travail pour aujourd'hui.

— Mais c'est épouvantable ! protesta-t-elle en repoussant sa nourriture.

Ses révélations lui avaient coupé l'appétit. Dire qu'elle le croyait en sécurité depuis l'arrestation de Sam Adams !

— Oubliez cela ! conseilla-t-il d'un ton étrangement dur.

Il ferma les yeux, croisa les bras derrière la nuque et s'étendit sur les coussins.

— Je n'ai plus envie d'en parler.

Silencieux, quelques instants, il se redressa soudain, alla regarder par la fenêtre.

— J'aurais mieux fait de ne pas venir.

— Jeff?

Elle s'approcha de lui, posa les mains sur ses épaules.

— Jeff, que se passe-t-il ?

— Ecoutez, je vous devais des explications sur les événements de cette nuit et j'ai tenté de vous en fournir, mais il y a des choses dont je ne puis parler. Ne me demandez pas de justifier mon travail.

— Je m'inquiétais seulement...

— Je sais, mais je ne désire pas en parler.

Dans ce cas, pourquoi l'avait-il invitée à dîner ?

— C'est bon, dit-elle, oublions cela.

Elle serra les dents.

— Jouez les héros, faites-vous tuer, après tout, que m'importe ?

Il s'approcha d'elle, la prit doucement par les épaules.

— Et pourtant vous vous faites du souci, car vous êtes tendre et gentille.

Il embrassa ses cheveux, dégageant son visage de ses mèches rebelles.

— Et si courageuse... Je serais fou de ne pas me pencher sur un tel trésor. Mais j'ai des obligations.

Je ne puis parler, et vous ne comprendriez pas. Pardonnez-moi, je vous en prie.

— Ce n'est pas grave.

— Si. Je ne voulais pas vous heurter.

Il recula un peu, dessina du doigt la ligne de sa joue crispée. Elle s'efforçait de cacher son chagrin mais n'y parvint pas. Il se traita de brute ; elle était trop sensible pour lui.

— Voyez-vous, reprit-il, parfois je me prends à... Je sais que mon métier est dangereux et si je cesse d'y penser... Mais je ne veux pas, pas quand je suis avec vous. Nos relations doivent se situer en dehors. Comprenez-vous ?

— J'essaie, mais...

Elle le repoussa et prit son sac. Elle aimait bien Jeff, l'aimait même beaucoup, mais elle ne pouvait supporter l'idée d'être écartée d'une partie si importante de sa vie. La trouvait-il trop naïve pour saisir la nature de son travail ?

— Je m'intéresse vraiment à ce que vous faites.

— N'y pensez plus, cela vaudra mieux.

— Bien.

Elle ne cherchait pas à dissimuler sa contrariété.

— De quoi aimeriez-vous parler ? De la pluie et du beau temps ? Me croyez-vous capable de soutenir une discussion d'un si haut niveau ?

A part son métier, quels sujets de conversation leur restait-il ? Carrie, dont il avait révélé l'existence bien involontairement ? Et Marilyn doutait qu'il accepte d'en dire plus.

— Ne le prenez pas mal.

— Comment voulez-vous que je le prenne ? Pour votre gouverne, Jeff, sachez que je déteste être bâillonnée.

Elle jeta un coup d'œil sur son dîner pratiquement intact, se sentant incapable d'avaler la moindre bouchée.

— Et j'aime encore moins être prise pour une sotte. Aussi je vous propose de finir tranquillement votre repas ; quant à moi, je n'ai pas faim. Je vais appeler un taxi et rentrer à l'hôtel.

— Pourquoi cette soudaine précipitation ? Parce que je refuse d'évoquer ma profession ? Vous exagérez un peu, non ?

— Bonsoir, Jeff !

Il avait trop le goût du secret et des complications. Quant à elle, ses difficultés lui suffisaient sans qu'elle se charge encore des siennes.

— Attendez.

Il déposa des billets sur la table.

— Je vous ai amenée ici, je vous reconduis.

Ils n'ouvrirent pratiquement pas la bouche pendant le trajet du retour, excepté pour lancer quelque banale observation qui renforçait le silence pesant. Dès que Jeff ralentit devant l'hôtel, Marilyn marmonna un remerciement, combiné d'un au revoir tout aussi impersonnel, et ouvrit sa porte sans attendre de réponse. Après un tel fiasco, elle n'entendrait plus jamais parler de Jeff Thompson. Tant mieux, pensait-elle. Sa vie était déjà bien assez compliquée sans qu'elle s'encombre d'une liaison avec un homme obstinément muet.

Elle craignit cependant de ne pouvoir dormir de la nuit, de se tourner et se retourner en pensant à lui ; mais, trop épuisée pour réfléchir, elle sombra rapidement dans le sommeil.

4

Marilyn n'avait aucune envie de se réveiller. Elle rêvait : Jeff et elle sur une île tropicale, coupés du reste du monde, entourés d'eau bleue, de palmiers verts, de milliers d'orchidées, mauves et blanches, et d'enfants, de petits enfants aux yeux noirs. Depuis quelque temps, les enfants jouaient un très grand rôle dans tous ses rêves.

Jeff la tenait dans ses bras et lui parlait doucement :

— Rien que vous, Marilyn, rien que vous.

Elle se sentait si bien, le plaisir devenait si palpable, si intense qu'elle désirait le prolonger. Mais, déjà, les images sublimes s'évanouissaient pour faire place à une désolante impression de vide.

Elle voulut ignorer le bruit qui la perturbait. Quelqu'un frappait à sa porte avec insistance. Elle ouvrit un œil en soupirant, regarda autour d'elle, prit sa montre sur la table de nuit. Huit heures ! Comment osait-on la déranger à cette heure, pendant ses vacances ?

— Qui est là ?

— Le service, madame !

— Le service ?

On ne pouvait se tromper avec moins d'à-propos ! A une heure pareille, ils pourraient se donner la peine de vérifier avant de frapper !

— C'est une erreur, je n'ai rien commandé.

— Chambre cent onze. C'est bien ici ?

— Oui.

Elle enfila sa robe de chambre, comprenant qu'on ne lâcherait prise qu'après l'avoir vue.

— Il y a un malentendu.

Elle tira le loquet et mit la chaîne de sécurité avant d'ouvrir. Sa brève expérience avec Jeff lui avait appris à se méfier.

— Bonjour.

— Jeff !

Il portait un plateau chargé de pots de café, de tasses, d'assiettes recouvertes, et décoré d'un magnifique hibiscus.

— Petit déjeuner ? demanda-t-il d'un ton mi-moqueur mi-suppliant. Pour deux ?

— Non, merci.

Elle avait les yeux trop grands ouverts pour confondre son rêve et la réalité, et se souvenait plutôt de leur séparation de la veille, de sa colère. Elle ne tenait pas à recommencer dès le petit matin. Elle recula, s'apprêtant à refermer la porte.

— Non. S'il vous plaît !

A voir son visage, sa résolution faiblissait. Elle avait pu dormir, lui non, à l'évidence, avec sa barbe de la veille et ses yeux cernés. Elle se sentait incapable de le renvoyer.

— Merci pour cette attention, Jeff, mais n'est-il pas un peu tôt ?

Elle lui ouvrit la porte et il déposa son plateau sur la table. Elle resserra la ceinture de sa robe de chambre. L'avant-veille, pourtant, elle s'était montrée nue devant lui sans la moindre gêne mais maintenant elle trouvait sa tenue trop légère. Tout avait changé dès l'instant où il l'avait appelée Carrie. Elle n'entretiendrait pas la moindre liaison avec un homme qui n'était pas libre.

— J'ai pensé qu'il était mieux de partir tôt, dit-il en disposant sa fleur sur la table.

— Partir ? Où ?

— Tom Hazlet, un agent de notre bureau d'Hawaii, possède un voilier et il m'a proposé une petite croisière autour des îles. Voulez-vous nous accompagner ?

— Moi ? Mais que dira votre ami ?

— Il me laisse amener qui je veux. Et c'est vous que j'ai choisie.

Elle le regarda étaler une serviette en papier en guise de nappe. Il se donnait tant de mal qu'il en devenait émouvant.

— Entre mille, n'est-ce pas ? Avec la tête que j'ai !

— Je reconnais qu'hier vous aviez meilleure mine ! observa-t-il malicieusement.

— Je n'attendais personne, expliqua-t-elle. D'ailleurs, le matin, je ne prends figure humaine qu'après un bon café !

— Je saurai m'en souvenir.

Il la regarda dans les yeux.

— Pour la prochaine fois, ajouta-t-il.

Elle soutint vaillamment le regard des prunelles noires et fiévreuses.

— Dans ce cas, il vous faudra venir jusqu'au Maryland ; je pars dans trois jours.

Elle ouvrit la porte-fenêtre, s'avança sur la terrasse.

— Trois jours ? murmura-t-il. Ce n'est pas beaucoup.

— Je suis ici depuis deux semaines et j'ai vu presque tout ce que je voulais voir.

— Et pêché un gros poisson...

Elle sourit.

— Il ne faisait pas partie de mon programme, et j'ai vite compris que nous n'étions pas faits l'un pour l'autre.

— Peut-être. Mais la nuit où j'ai eu besoin d'une main secourable, vous étiez là ; je ne l'oublierai jamais.

Elle ne savait pas trop ce qu'elle attendait de Jeff mais sûrement pas de la reconnaissance.

— N'importe qui en aurait fait autant.

— Du café de Kona ?

Il versa le liquide noir et fort.

— Pour vous donner figure humaine... Ne me dites pas non.

Elle prit la tasse fumante d'où s'échappait un arôme irrésistible.

Il avait aussi apporté du jus d'orange, des œufs brouillés, une saucisse et des petits pains.

— Quel festin ! s'exclama-t-elle. Le petit déjeuner au lit ! Mon rêve !

Elle entama gaiement ses œufs.

— Heureux de vous faire plaisir !

Il ne mangeait pas, l'observait le menton dans les mains. A part la croisière, il projetait mille autres choses, mais se gardait bien d'en parler, commençant à connaître son caractère emporté.

— Quand j'ai parlé à Tom et Linda Hazlet de votre métier, commença-t-il, ils ont projeté de s'arrêter dans l'une des plus petites îles où vous trouverez certainement d'intéressants spécimens.

Cette proposition la comblait. Elle souhaitait faire le tour de ces îles mais la location d'un bateau excédait nettement ses ressources. L'occasion était unique, elle ne pouvait décidément pas refuser.

Jeff l'attendit sur la terrasse pendant qu'elle prenait sa douche et s'habillait et, à dix heures, ils embarquaient sur le *Topaze*, un voilier de neuf mètres.

Tom Hazlet, un grand garçon blond de trente ans, apportait une glacière sur le pont quand ils arrivèrent.

— Voilà donc notre aide bénévole ? dit-il à Marilyn en lui tendant la main.

— C'était tout naturel.

— En tout cas, je suis heureux que vous vous soyez trouvée là.

— Nous sommes deux, intervint Jeff.

— Trois.

Une petite femme rousse, vive comme un lutin, sortit de la cabine à ce moment.

— Bonjour ! Je suis Linda Hazlet !

Elle embrassa Marilyn.

— Nous tenons tous beaucoup à Jeff, bien qu'il ne le mérite pas ! Venez visiter la cave !

Elle appelait ainsi une jolie cabine tout en pin clair.

— Il vaut mieux que nous restions là pendant qu'ils se débrouillent avec les voiles, expliqua Linda.

Marilyn aurait préféré assister aux manœuvres sur le pont, peut-être donner un coup de main, mais il ne semblait pas que ce fût dans les habitudes du bord.

— Jeff a insisté pour que je vienne. J'espère que je ne vous dérangerai pas.

Linda lui tendit du thé glacé en souriant.

— Bien sûr que non ! Il tenait à vous avoir parmi nous. Simplement, nous devrons les laisser parfois entre hommes pour qu'ils puissent se concerter à propos de leur travail.

— Il ne m'en a pas beaucoup parlé, mais j'ai l'impression que c'est un métier très prenant.

— C'est le moins qu'on puisse dire ! Tout le temps des missions secrètes, le risque permanent d'être découvert. Parfois, Tom rentre si tendu qu'il passerait ses nerfs sur la première personne venue, moi en l'occurrence. Alors il s'enferme dans son bureau pour écouter de la musique, parfois des heures durant. C'est une véritable torture, pour eux, et pire encore pour les femmes qui les aiment.

Marilyn ne pouvait s'empêcher de songer à Carrie, celle qui devait attendre, soigner, réconforter Jeff avec toute la patience de la terre. Pourquoi ne se trouvait-elle pas ici, avec eux ? Elle allait poser la question quand Tom passa la tête et leur demanda si elles avaient l'intention d'hiberner toute la journée.

— Non, dit Linda en adressant un clin d'œil à sa compagne, nous avions seulement besoin de nous isoler un peu...

Elle se leva, resserra la ceinture de son short. Les deux jeunes femmes s'installèrent à l'arrière, pour prendre le soleil et Marilyn s'exclama quand elle découvrit quatre dauphins, trois adultes et un bébé, qui bondissaient autour du bateau.

— Qu'ils sont beaux !

Elle siffla doucement pour imiter les sons qu'ils émettaient en émergeant de l'eau.

— Ils essaient de communiquer avec nous. J'ai fait un stage sur les dauphins en Nouvelle-Zélande à la fin de mes études. Ce ne sont pas des animaux comme les autres mais des êtres à l'intelligence comparable à la nôtre. Quand j'apprends qu'on les capture au filet comme de vulgaires poissons, j'ai envie... Excusez-moi...

Elle se reprit :

— N'hésitez pas à me rappeler que nous sommes sur un bateau, non dans une salle de cours.

— Continuez, dit doucement Jeff. J'aime vous entendre. C'est un cours très agréable. Les dauphins vous plaisent donc tant ?

— Ils sont si amicaux, si intelligents, je ne puis supporter qu'on leur fasse du mal. Regardez.

Quand le bébé tenta de s'écarter du groupe, deux adultes le ramenèrent vers le centre.

— Ils ne lui laissent pas courir de risques. Ils communiquent entre eux à l'aide d'une sorte de sonar et s'avertissent les uns les autres de ce qu'ils voient ou entendent.

— Que font-ils en ce moment ?

Deux adultes, face à face, frottaient leurs becs.

— Ils expriment leur affection.

— Comme des êtres humains, effectivement...

La douce chaleur qui envahit Marilyn ne devait rien au soleil. Quand Jeff lui parlait de cette voix si caressante, elle avait l'impression d'être effleurée par ses mains.

— Ils sont meilleurs que les hommes, rectifia-t-elle. Ils s'entraident et se montrent toujours dignes de confiance.

Malgré l'attirance qu'il exerçait sur elle, elle n'oubliait pas Carrie, barrière infranchissable entre eux.

— Ne partez pas, que vous arrive-t-il ?

— Ce n'est rien. Un peu de fatigue.

— Levée trop tôt ?

— Peut-être.

Elle s'étendit sur une serviette.

— J'aime mon travail mais en vacances je me découvre des dispositions à la paresse.

— Vous ne tiendriez pas plus d'un mois.

— C'est possible mais sans mon loyer à payer j'essaierais volontiers.

Elle versa de l'huile solaire sur ses paumes, s'apprêtant à l'étaler sur ses épaules.

— Laissez-moi faire, intervint Jeff.

Il s'agenouilla derrière elle.

— Détendez-vous, je m'occupe de tout.

Il dégagea son cou de ses mèches folles et appliqua l'huile sur sa peau tiède.

Elle ne put réprimer un soupir de plaisir à ce contact doux, à peine appuyé. Malgré son désir de le voir se poursuivre à tout jamais, elle voulut l'interrompre immédiatement. Jeff appartenait à une autre femme.

Mais aucun son ne sortit de sa bouche tandis qu'il lui couvrait le dos puis les jambes du baume ambré. Instants divins qu'elle aurait aimés éternels...

— Qui veut déjeuner ? lança la voix flûtée de Linda.

Marilyn se leva aussitôt, croisa le regard de Jeff.

— Je n'ai pas voulu ça, murmura-t-il comme s'il s'excusait, mais chaque fois que je vous vois, c'est plus fort que moi, j'ai envie de vous caresser.

« Je n'ai pas voulu ça »... exactement ce que sa mère lui avait dit le jour où elle avait quitté son père pour l'un de ses meilleurs amis. Jamais je ne ferai une chose pareille, s'était alors juré l'adolescente.

— Vous n'avez pas voulu m'empêcher de prendre des coups de soleil ? demanda-t-elle d'un ton de reproche.

Elle se détourna. Après tout, songea-t-elle, nous n'avons fait et ne ferons rien de mal.

— J'espère que vous avez faim, annonça Linda. J'ai apporté des tonnes de nourriture.

Elle exagérait à peine. Ils mangèrent de bon appétit en bavardant gaiement et, deux heures plus tard, les deux jeunes femmes achevaient de tout ranger tandis que le bateau jetait l'ancre dans une eau si claire qu'on en devinait le fond, avec sa flore ondoyante.

Marilyn eut envie de plonger aussitôt à la recherche de ses spécimens. Linda l'arma d'un bon morceau de pain afin d'attirer les poissons.

Ils eurent tôt fait de le dévorer et elle put alors se déplacer en toute tranquillité.

Elle suivit le récif de corail qui aboutissait à une crique, peuplée d'algues et autres plantes sous-marines.

En arrivant sur la plage, elle se débarrassa de son matériel de plongée et partit observer la végétation de l'île. Elle se limitait à des cocotiers et des fougères mais Marilyn en préleva cependant quelques échantillons.

Elle revenait de sa cueillette quand elle trouva sur la plage un Jeff blême d'inquiétude et de fureur.

— Où étiez-vous passée ? N'avez-vous donc pas entendu nos appels ?

— Non, que se passe-t-il ?

— Je vais avertir les autres. Nous nous demandions ce qui vous était arrivé.

Il courut faire de grands signes en direction du bateau, puis revint s'adosser à un palmier.

— Pourquoi vous inquiéter ? demanda Marilyn en jetant son sac sur le sable. Vous saviez que je me rendais vers la crique. Que pouvait-il m'arriver ?

— Vous pouviez vous noyer, vous prendre dans les algues, rencontrer un requin...

— Pour un homme habitué à courir sous les balles, vous vous alarmez bien facilement.

— Ne mélangez pas tout !

Il lui prit les mains, regarda ses longs doigts fins.

— Là, il s'agit de mes sentiments pour vous.

D'épais cils noirs voilèrent un instant son regard viril tandis qu'il portait les mains de la jeune femme à ses lèvres.

— Quels sentiments ?

Qu'il lui explique donc la place de Carrie dans sa vie, surtout, qu'il ne se dérobe pas ! Et pourtant, Marilyn appréhendait un peu sa réponse.

— Vous êtes trop petite, légère comme une plume.

Il la prit dans ses bras, lui caressant le dos.

— Mais je ne voudrais pas vous voir changer.

— Vraiment ?

Il sourit.

— Vraiment...

Il suivait lentement la ligne de son épaule, de sa poitrine, et elle retenait son souffle tant son désir l'enivrait. Elle pouvait difficilement lui cacher son émoi et ne le chercha pas, mais une question l'obsédait, toujours la même : qui était Carrie ?

Elle commença par éloigner les mains tendres qui la caressaient. Elle ne s'en tiendrait pas longtemps à ses résolutions si elle le laissait faire.

— Je n'aime pas servir de substitut, dit-elle sèchement.

— De substitut ?

Il paraissait sincèrement étonné.

— Je ne comprends pas.

— Et Carrie, Jeff ? Je vous intéresse uniquement parce qu'elle n'est pas là.

— Qui vous a parlé d'elle ?

Il s'était figé et son intonation devenait soudain glaciale.

— Et qui vous permet de croire que vous pourriez jamais la remplacer ?

Il se détourna, les yeux fixés sur la mer.

— Vous n'avez rien d'elle. Vous ne lui ressemblez pas du tout.

— C'est possible mais j'ai ma dignité et je ne laisserai personne se servir de moi.

— Vous avez raison.

Les bras croisés, il regardait partout, sauf dans sa direction.

— Vous ne pourriez jamais remplacer Carrie. Aucune femme ne le pourrait, ce serait trop dur.

Vous m'avez empêché de commettre une terrible erreur, merci.

Et, sans plus d'explications, il plongea dans l'eau, se dirigea en hâte vers le bateau.

Pétrifiée par cette attitude inattendue, Marilyn demeurait sur le bord de la plage à le suivre des yeux. Impossible de se leurrer, cette fois. Jeff n'avait même pas essayé de mentir, d'inventer une quelconque histoire au sujet de Carrie.

Elle s'assit, posa sa tête sur ses genoux repliés. Ce nom, murmuré dans la nuit, avait brisé tout espoir. Mieux valait donc en finir au plus tôt. Plus elle tarderait, plus sa blessure saignerait.

Le cœur lourd, elle rassembla son matériel et pénétra lentement dans l'eau tiède avec, en tête, une insupportable question : et si Jeff était marié ?

Elle eût souhaité ne jamais le revoir mais comment rentrer à Kona, dans ce cas ?

Comme Linda l'aidait à regagner le bord, elle vit Tom et Jeff replier les voiles. Ce dernier lui jeta un bref coup d'œil et se détourna.

— Que s'est-il passé ? demanda Linda dans la cabine. Je n'ai jamais vu Jeff dans cet état. Que lui avez-vous donc fait ?

Marilyn haussa les épaules et se mit à ranger ses affaires.

— Je lui ai parlé de sa femme.

Elle prêchait le faux pour savoir le vrai et la réponse de son interlocutrice serait déterminante.

— Carrie ? Vous lui avez parlé de Carrie ? Oh ! Ce n'est pas possible !

Elle ne s'était donc pas trompée, il était marié. Envers et contre tout, elle avait jusqu'ici continué d'espérer qu'il ne s'agît que d'une aventure un peu plus marquante que les autres, sans plus.

— Et pourquoi non ? demanda-t-elle amèrement. Je ne comprends pas, vous qui êtes mariée, que diriez-vous si Tom s'intéressait brusquement à une autre femme ?

Jamais elle n'oublierait la réaction de son père. Il avait été complètement anéanti !

— Ce n'est pas la même chose.

Marilyn se redressa, incrédule. Est-ce que, par hasard, Jeff et Carrie formaient un couple instable, aux relations orageuses, vivant chacun de leur côté ? Parfait, se répondit-elle aussitôt. Qu'il aille donc frapper à une autre porte, ce genre d'aventure ne m'intéresse pas.

Linda remonta sur le pont. Seule dans la cabine, Marilyn ne parvint pas à se départir de sa morosité. Jeff et elle se connaissaient à peine depuis deux jours et, pourtant, elle avait l'impression de tout savoir de lui, de le connaître depuis si longtemps ! Les Indiens ne disaient-ils pas que, lorsque vous sauvez la vie d'un être, vous en devenez responsable ? Sans lui sauver véritablement la vie, elle l'avait au moins aidé à sortir d'une situation périlleuse. Cela expliquait-il son attirance ?

Une attirance certaine, et elle avait commis une erreur en acceptant de participer à cette croisière. Elle s'était trouvé d'excellentes raisons mais, à la vérité, elle aspirait surtout à passer la journée en sa compagnie. Maintenant le personnage de Carrie prenait consistance, et elle commençait à terriblement souffrir en se disant qu'elle ne reverrait jamais Jeff.

En se penchant sur la glace au-dessus du lavabo, elle remarqua ses taches de rousseur, décuplées par le soleil hawaiien. Comment était Carrie ? Très belle ? Exotique ? Sans doute. La femme de Jeff devait être très typée... Marilyn se détourna en haussant les épaules : à quoi bon ces spéculations ? Il l'aimait assez pour l'avoir épousée, rien d'autre ne comptait.

Elle venait d'enlever son maillot de bain quand elle se souvint que ses vêtements étaient restés sur le pont. Enveloppée dans une serviette-éponge, elle sortait de la cabine pour aller les chercher quand elle vit Jeff.

Agenouillé devant le réfrigérateur ouvert, il se redressa brusquement.

— Qui vous a parlé de Carrie ? demanda-t-il à brûle-pourpoint.

— Vous.

Elle tremblait soudain de tous ses membres, émue de le trouver ainsi en face d'elle.

— Moi ? fit-il, suffoqué.

Il semblait à la fois incrédule et furieux ; elle se moquait de lui !

— L'autre nuit, dans ma chambre, expliqua-t-elle d'une petite voix. Vous parliez dans votre sommeil.

Visiblement, il ne se souvenait pas de l'avoir

tenue dans ses bras, et elle ne ferait rien pour qu'il s'en souvienne.

— Vous avez appelé Carrie. C'est votre femme, n'est-ce pas ?

Elle avait beau le savoir, elle voulait qu'il le confirmât lui-même ; mais elle fut prise de remords en le voyant se raidir.

— Ecoutez, reprit-elle doucement. Inutile d'en parler si vous ne le désirez pas. Je tiens seulement à ce que vous le sachiez : je ne fréquente pas les hommes mariés.

— Et si je ne l'étais pas ?

Il s'était retourné, pensif. Elle repensa aussitôt aux scènes pénibles entre son père et sa mère. Celle-ci prétendait que leur couple n'était qu'un simulacre de mariage, ce qui lui donnait tous les droits...

Avait-il des enfants, lui aussi ? Cela ne la concernait même pas.

Il prit tranquillement deux bières et sortit sans attendre de réponse.

Au bord des larmes, elle rassembla ses vêtements et finissait de s'habiller quand Linda surgit à son tour :

— Je ne sais pas ce qui se passe entre Jeff et vous mais il est livide, dit-elle sèchement.

— Rien. Je refuse simplement de fréquenter un homme marié.

— Un homme marié ?

Linda s'approcha, lui posa la main sur l'épaule :

— Mais il est veuf ! Carrie est morte.

5

Si Jeff n'était pas marié, pourquoi se comportait-il de la sorte avec elle ? Linda avait haussé les épaules lorsque Marilyn lui avait posé la question.

— Lui seul, sans doute, pourrait vous le dire. Mais je serais curieuse de le savoir, moi aussi...

Marilyn demeura longtemps seule dans la cabine à se le demander. Il savait qu'elle refusait toute relation avec lui du fait de son mariage. Pourquoi alors ne pas l'avoir détrompée ? A moins qu'il n'eût rien trouvé d'autre pour se débarrasser d'elle.

Mais alors, son invitation de ce matin ? La réponse fusa immédiatement : elle lui plaisait, mais il ne désirait aucune liaison avec elle, juste une aventure, une nuit, rien de plus...

Murée dans son chagrin, elle se tut le reste de l'après-midi, offrant son visage à la mer et au soleil, tâchant de ne plus penser à rien, surtout pas à lui, si proche et déjà si lointain.

A leur arrivée au port, Linda les invita tous à dîner, mais elle déclina gentiment l'offre :

— Merci, mais je vais plutôt aller dormir. Que

cela ne vous empêche pas d'accepter Jeff; je prendrai un taxi.

— Je n'ai pas changé de politique depuis hier soir, répondit-il froidement. Je vous ai amenée, je vous ramène.

Il prit la jeune femme par le bras, adressa un signe à Linda :

— Une autre fois...

— Quand vous voudrez, répondit-elle. Vous serez toujours les bienvenus.

Il ne reprit la parole que lorsque la Mustang eut démarré :

— Vous êtes encore en colère ?

— Pas en colère, fatiguée.

Elle appuya sa tête au dosseret, ferma les yeux. Moins ils parleraient, mieux ce serait : elle n'aurait pas à entendre d'autres mensonges.

— Pourquoi vous réfugier dans votre coquille comme hier soir ? intervint-il. Vous ne me laissez aucune chance.

— Nous sommes mal assortis. Je déteste le mensonge et les déceptions qui semblent faire partie de votre vie quotidienne autant que de votre travail. Une rencontre fortuite ne débouche pas forcément sur une amitié inaltérable.

— Je ne parle pas de notre rencontre mais d'aujourd'hui. Où en êtes-vous ? Tout va bien ?

— Je vous ai dit que j'étais fatiguée.

Elle baissa les paupières, croisa les bras et s'emmura dans son silence. Mais cette carapace ne suffisait pas à la protéger des mots ni de la présence de Jeff. Et comment admettre ces émotions contradictoires ? D'un côté, ses mensonges et les fausses espérances dont il l'avait bercée la faisaient hurler de rage ; de l'autre, elle continuait à brûler de désir ! Elle se taisait. Qu'il pense ce qu'il voulait à son sujet, elle ne ramènerait pas dans ses bagages une brève amourette de vacances.

— Je tiens à m'excuser pour mon attitude sur la plage, dit Jeff.

Il garait la voiture dans le parking de l'hôtel.

— J'ai manqué de sang-froid.

— En effet.

Elle ouvrit sa porte tout en repensant aux propos de Linda sur l'éprouvant métier de Jeff. Elle ne se montrerait pas aussi compréhensive. Elle ne supporterait jamais de le voir s'enfermer ainsi dans des silences bougons.

— Bonsoir, Jeff.

Avant de refermer, elle se pencha :

— Soyez prudent.

— Attendez.

Il sortit à sa suite.

— Je ne vous laisserai pas rentrer seule.

— Si !

Elle se tourna brusquement pour lui faire face, les bras le long du corps.

— Je vous ai dit que je ne voulais plus vous voir. Adieu !

Elle escalada en hâte les marches du perron.

— Et si je refuse ?

— Vous n'avez pas le choix.

Il lui emboîta le pas jusqu'à l'entrée de sa chambre.

— C'est à moi d'en décider.

— Non, Jeff, dit-elle en ouvrant la porte. Vous êtes ici chez moi.

Il venait pourtant de fermer derrière lui et elle s'immobilisa, lui tournant le dos.

— Sortez d'ici !

— Pourquoi ? Vous m'avez accueilli chez vous dans des circonstances autrement dangereuses, pourquoi me chasser maintenant ?

Il vint derrière elle, lui emprisonna la taille entre ses bras croisés.

— Parce que vous avez appris que j'étais marié ?

Son souffle tiède se posait au creux de son oreille.

— Ne soyez pas si pudibonde. Je n'aime pas vous voir en colère contre moi.

Elle sentait ses mains remonter vers sa poitrine et fut un bref instant tentée de se tourner pour se blottir contre lui. Mais non. Elle avait sa fierté.

— Quand donc cesserez-vous de mentir ?

Elle se dégagea brusquement, le regarda en face.

— Linda m'a dit la vérité. Vous n'êtes pas marié !

— Vous savez ?

Il avait haussé les sourcils, étonné.

— Alors, pourquoi refuser encore ?

Pourquoi, en effet ? Tout pouvait être si simple.

— Vous essayez de vous protéger. Vous ne cherchez qu'une nuit d'amour. Tant que je vous croyais marié, vous pouviez vous éclipser au moment voulu, je ne risquais pas de m'attacher à vous. Mais vous vous êtes trompé, je n'ai rien d'une fleur fragile ! Je suis capable de regarder la vérité en face ! Vous auriez pu vous épargner cette mise en scène ! Et tout cela pour ne pas me blesser en ne m'offrant qu'une brève rencontre !

— Marilyn, êtes-vous donc aveugle ? N'avez-vous pas compris ce que je ressens pour vous, depuis la première minute où je vous ai vue, sur cette falaise ?

Il prit son visage entre ses mains.

— Oh, Marilyn !

Il l'embrassa doucement.

— Ma douce, courageuse Marilyn ! Comment avez-vous pu imaginer que je n'avais à vous offrir qu'une seule nuit, alors que je tiens à vous plus qu'à toute autre femme !

Son souffle tiède, sa voix rauque la faisaient trembler de plaisir et d'émotion.

— Mon pauvre amour, murmura-t-il en l'amenant vers le lit. Pourquoi ai-je tenté de résister à ce que nous désirions si fort l'un et l'autre ?

La tête lui tournait tellement qu'elle préféra l'arrêter avant de perdre tout contrôle. Elle le repoussa doucement.

— Non, Jeff, vous vous trompez, nous ne désirons pas la même chose. Je n'ai besoin ni de votre gratitude ni de votre pitié.

— Pitié ?

Il se redressa.

— Vous vous y connaissez peut-être en dauphins, mais pas du tout en hommes !

Il roula sur le dos et la reprit dans ses bras sans lui laisser aucune chance d'évasion.

— Croyez-moi, je ne me trouverais pas ici en ce moment si je n'éprouvais que de la pitié à votre égard.

Ses yeux brillaient d'une lueur intense.

— Quant à la gratitude, mon amour, elle viendra plus tard.

Il sourit.

— Beaucoup plus tard.

— Non.

Elle se dégagea et s'assit au bord du lit.

— Quoi que vous ayez à m'offrir, je n'en veux pas ! Nous n'avons pas les mêmes buts, Jeff.

Elle se dirigea vers la fenêtre, regarda l'océan en croisant les bras.

— On dirait une discussion d'affaires, dit-il.

Il s'était assis en tailleur sur l'oreiller.

— J'offre ceci, vous acceptez cela, repoussez autre chose. Nous n'en sommes pas à la signature d'un contrat, que diable ! Je ne vous demandais qu'un peu d'amour !

Amour ! Comment pouvait-on détourner à ce point le sens du plus beau mot du monde ? Qu'avait-il à voir dans les propositions de Jeff ? Un tant soit peu d'amour lui aurait interdit de mentir.

— Je n'ai ni l'habitude ni l'envie de ce genre d'aventure quand...

Elle s'interrompit. Comment lui faire comprendre ? Pour elle, l'attrait physique ne suffisait pas ;

elle attachait autant d'importance à la confiance réciproque, à la parole de l'autre.

— Continuez, dit-il, achevez votre phrase. Vous n'avez pas envie de ce genre d'aventure quand... ?

— Quand je sais qu'elle ne signifie rien pour vous.

Elle l'avait dit, avait exprimé ses doutes, les lui avait livrés tels quels.

— Un vague attrait physique, sans plus...

— Une psychologue ! Moi qui vous prenais pour une biologiste ! Comment pouvez-vous savoir ce que j'éprouve ? Vous me connaissez à peine.

— C'est vrai. Et je ne passe pas la nuit avec des inconnus.

— Quel meilleur moyen, pourtant, de faire connaissance ?

Elle fronça les sourcils, peu disposée à plaisanter.

— Excusez-moi, reprit-il, je manque de tact.

Elle lui sut gré de son effort car, apparemment, il usait facilement de sarcasmes, particulièrement pour tourner en dérision ses propres difficultés.

— Que désirez-vous ? demanda-t-il.

— Parler.

— Que faisons-nous d'autre ?

— Chaque fois que j'ai essayé de discuter avec vous, vous vous êtes réfugié dans l'ironie, ou m'avez coupé la parole. Vous esquivez les confidences.

— Je ne raconte pas ma vie à la première personne que je rencontre...

— Mais...

— Chut !

Il avait levé la main pour la faire taire.

— Je sais. Avec vous j'aurais dû agir différemment. Eh bien, il n'est pas trop tard. Posez-moi des questions.

— Vous et Carrie...

Elle hésita, puis :

— Pourquoi vouliez-vous que je vous croie toujours mariés ?

— C'est tout ce que vous voulez savoir ?

— Je vous en prie, Jeff.

Elle ne pourrait jamais lui donner sa confiance s'il lui refusait tout éclaircissement à ce sujet.

— J'ai besoin de savoir et il faut que vous m'aidiez.

— Très bien...

Il se leva et vint s'installer sur le transat de la terrasse.

— J'ai rencontré Carrie au Viêt-nam. C'était une pauvre petite fille apeurée. Je ne crois pas que nous ayons eu beaucoup de choses en commun si ce n'était notre solitude. Aux Etats-Unis, sans doute ne lui aurais-je pas accordé le moindre regard ; mais, là-bas, tout était différent et elle est devenue mon unique refuge au milieu de cet enfer. Elle a eu tellement peur quand je lui ai expliqué que nous allions évacuer le pays.

Il regardait le ciel, les bras repliés sous sa nuque.

— Je ne pouvais pas la laisser là-bas. Alors je l'ai épousée et l'ai ramenée avec moi pour lui offrir la sécurité. La bonne plaisanterie ! Elle est morte un an après, assassinée par des trafiquants de drogue qui voulaient m'atteindre à travers elle.

Marylin lui posa les mains sur les épaules.

— C'est affreux, Jeff !

Elle lui massait doucement la nuque tout en se rappelant le soir où ils s'étaient rencontrés, comprenant maintenant pourquoi il s'était accusé de détruire tous ceux qu'il approchait. Il s'estimait responsable de la mort de Carrie. Quel terrible fardeau à porter sa vie durant ! En comparaison des reproches de sa conscience, les terribles périls qu'il affrontait semblaient peu de chose. Voulait-il se punir en s'exposant ainsi à tant de dangers ?

— Pardonnez-moi, murmura-t-elle. Je n'aurais pas dû vous obliger à revenir sur cette histoire.

— Mais si ! Je vous devais bien un éclaircissement.

Il la prit par les mains et l'invita à s'asseoir près de lui.

— Et maintenant que vous connaissez la triste vie de Jeff Thompson, parlez-moi de la vôtre.

— Que vous dire ?

Ses difficultés paraissaient si futiles comparées à un tel drame.

— Vous savez presque tout de moi, où je vis, de quoi je vis.

— Mais j'ignore le plus important.

Il scrutait son visage avec une attention étrange.

— Par exemple, comment vous envisagez l'avenir.

— Je ne sais pas, je ne pense pas que nous ayons énormément de choix.

Fallait-il lui expliquer que, malgré son métier passionnant, elle désirait encore fonder un foyer? Même si, aujourd'hui, ses chances semblaient s'amenuiser de jour en jour...

— Mon métier me prend presque tout mon temps et je n'ai pas encore vraiment songé au... reste...

— Au mariage?

Elle haussa les épaules.

Depuis son enfance déchirée, elle ne comptait plus beaucoup sur les autres. Elle pouvait toujours assurer son indépendance financière mais, quant à fonder une famille, le temps travaillait désormais contre elle.

— Mon métier m'absorbe totalement.

Sa réponse habituelle; mais elle savait maintenant qu'il s'agissait plus d'une excuse commode que de la vérité.

— Nous sommes tous les deux dans le même cas, répondit-il. Dans ma carrière, on ne devrait jamais se marier. Si je n'avais pas épousé Carrie, elle serait encore vivante à l'heure qu'il est. Je ne ferai plus courir un tel risque à une femme. Non! Je ne me remarierai jamais!

— Comme vous avez dû l'aimer!

— C'était une petite fille effrayée. Elle avait tant besoin de protection.

— Vous ne pouvez vous reprocher éternellement sa mort, Jeff.

— Ne vous inquiétez pas pour moi.

Il effleura tendrement sa joue, puis se leva. Elle l'imita.

— Je m'en sortirai, dit-il, mais je resterai seul désormais. L'amour rend un homme vulnérable et, dans mon métier, cela ne pardonne pas. Je ne puis en aucun cas m'engager auprès d'une femme... plus jamais.

Elle ouvrit ses deux mains, les lui montra :

— Vides, dit-elle. Pas de chaînes, pas de liens, rien qui puisse vous attacher.

— Je vois que vous comprenez.

— Je suis la femme la plus compréhensive que vous puissiez rencontrer.

Elle le prit par les épaules, désirant plus que tout au monde le serrer dans ses bras, le réconforter. S'il lui accordait la moindre chance, elle était certaine de pouvoir le faire changer d'avis, elle l'amènerait à désirer un couple durable. Lorsque deux êtres s'aiment, ils veulent vivre ensemble, toujours.

Il parut hésiter, comme devant une décision difficile.

— Vous m'avez bien dit que vous partiez dans trois jours ? Voulez-vous que je passe vous prendre demain matin pour voir Pele ? Le Kilauea est encore en activité et nous aurons peut-être la chance d'arriver en pleine éruption.

— La déesse des volcans, Pele, pourrait d'ores et déjà nous inspirer ici ce soir, ne croyez-vous pas ?

Il sourit.

— Vous êtes effectivement une femme compréhensive ! Et pleine d'humour. Heureux l'homme que vous épouserez !

— Quel bonheur de se sentir appréciée !

— Oh ! Vous l'êtes, n'en doutez surtout pas !

Il l'embrassa sur le front.

— A demain matin. Et fermez le loquet derrière vous.

En le voyant partir, elle s'aperçut qu'elle n'avait pas envie de rester seule.

— Jeff... écoutez...

Elle chercha ses mots et le courage de les dire.

— Vous n'êtes pas obligé de vous en aller. Je souhaite que vous restiez.

— J'aimerais vous dire oui, mais pas ce soir. Vous aviez raison, nous avons besoin d'un peu de temps. Or, on m'attend pour une réunion.

Il regarda sa montre.

— Dans une petite heure...

Il ouvrit la porte, sortit dans le couloir.

— Fermez bien, et à demain matin sept heures. Prenez un vêtement chaud, il peut faire très froid dans ces montagnes.

Elle suivit ses conseils et se barricada soigneusement dans sa chambre. Elle écouta ses pas s'éloigner dans le corridor. Il lui sembla qu'il parlait avec quelqu'un mais elle ne put saisir le sens de ses paroles.

Il passa effectivement la prendre le lendemain, à sept heures.

— Fermez les yeux, dit-il, j'ai une surprise pour vous.

— Oh, non !

Elle secoua la tête.

— Je les connais, vos surprises, Jeff ! Elles sont en général explosives.

— Pas cette fois, je vous le promets. Allons, fermez les yeux. Cela vous plaira, à moins que vous n'aimiez pas les cadeaux.

— Un cadeau ? Pourquoi ne le disiez-vous pas ?

Elle poussa un soupir.

— J'adore les cadeaux.

Elle posa les mains sur ses paupières.

— Un tel aveu mérite récompense, murmura-t-il.

Il se glissa derrière elle, si près qu'elle sentit son souffle sur ses tempes.

— Je regrette qu'il ne soit pas plus spectaculaire.

Il posa doucement les mains sur ses épaules et elle frissonna en sentant un objet rond sur sa poitrine, puis il remonta vers la nuque, lui releva les cheveux pour accrocher la chaîne.

— Je ne donne pas souvent de cadeaux aux femmes, mais cette fois c'est spécial.

Il lui déposa un baiser dans le cou avant de laisser retomber les cheveux.

— Vous pouvez ouvrir les yeux, maintenant.

Elle découvrit un coquillage nacré, ramassé la veille sur la plage.

— Ainsi vous ne m'oublierez pas, dit-il.

— Vous parlez comme si nous ne devions jamais nous revoir !

Elle éprouva une sensation de froid intense. Etait-ce un adieu ? Une nouvelle mission l'attendait-elle ? Lui annoncerait-il que leur promenade n'aurait pas lieu ?

— Pas de chance. Vous ne vous débarrasserez pas de moi aussi facilement. Nous avons rendez-vous avec Pele et je ne vous lâcherai pas d'une semelle.

Il la tenait par la taille lorsqu'ils sortirent de la chambre.

Les volcans étaient à deux heures de route, à l'opposé de l'île.

Il faisait si chaud que l'air tremblait devant eux, et nimbait toute chose d'irréalité.

Ils abordèrent une région de montagnes peuplée de plantations de café. La route étroite serpentait le long d'à-pics vertigineux et Jeff surveillait dans son rétroviseur la voiture qui les suivait. Sans doute Nick et Kenny à qui il avait demandé de les suivre, au cas où les complices de Sam Adams se manifesteraient.

Marilyn se retourna, découvrant une Datsun bleue occupée par deux hommes.

— Ils roulent à près de cent, ils sont fous ! Ils ne nous voient donc pas ?

Jeff fronça les sourcils. Pourquoi, en effet, allaient-ils à cette vitesse ? Il cherchait à identifier les deux têtes qu'il apercevait.

— Si, ils nous voient.

Ses mains se crispèrent sur le volant comme il abordait un virage périlleux. A la réaction de leurs poursuivants, il comprit que ces derniers ne plaisantaient pas. Il lui fallait réagir au plus vite.

La Datsun bleue se rapprochait dangereusement. Ils paraissaient parfois sur le point de les toucher, de les pousser, de les tuer. Ce dernier mot s'inscrivit en rouge dans le cerveau de Jeff.

— Ils sont fous ! Laissez-les doubler.

— Ce n'est pas ce qu'ils veulent, Marilyn.

Il accéléra ; la Mustang bondit en avant. Jeff ajouta :

— Du moins pas tant que nous restons sur la route...

Il décrocha le téléphone du bord : pas de tonalité. Ils l'avaient certainement saboté pendant qu'il se trouvait dans la chambre de Marilyn. Il aurait dû vérifier en partant.

— Que se passe-t-il ? demanda-t-elle d'une voix angoissée.

Afin de ne pas l'angoisser davantage, il feignit de passer un message.

— Le poisson mord à l'appât, mais l'appât ne se laissera pas gober. Ne vous inquiétez pas. Tout se passera bien.

Il parlait d'une voix ferme et rassurante, comme s'il ne craignait rien, ni pour elle, ni pour lui.

La Datsun les lâcha un bref instant, sur une ligne droite entre les champs de café et un désert de lave.

Quel endroit désolé, songeait Marilyn. S'ils nous arrêtent ici... Elle avait beaucoup plus peur que la nuit de leur première rencontre. Ils ne pouvaient cette fois s'évanouir dans l'obscurité ou se réfugier dans sa chambre d'hôtel. Elle ne partageait pas du tout l'optimisme de Jeff.

La Datsun les avait rattrapés et heurtait leur pare-chocs. Jeff traversa la ligne jaune. Les voitures dans le sens opposé se faisaient rares.

— Où sont-ils passés ? marmonna-t-il en jetant un coup d'œil dans son rétroviseur.

— Ils sont juste derrière nous, répondit-elle.

Comment pouvait-il ne pas les voir ?

Jeff regarda de nouveau son rétroviseur. Qu'étaient devenus Nick et Kenny ?

Il ne pouvait plus compter que sur lui-même.

Au virage suivant, le parapet faisait place à un groupe d'acacias qui s'épanouissaient à flanc de coteau. Si leurs poursuivants les poussaient à cet endroit-là... Marilyn s'interdit de penser plus avant...

— Attention ! dit Jeff, accrochez-vous !

Il accéléra pour s'écarter de la Datsun puis ralentit pour virer sur l'aile.

Durant quelques terrifiantes secondes, la roue avant gauche dérapa sur la chaussée, à quelques centimètres du ravin.

Mais ils ne basculèrent pas. Elle crut sentir la voiture tomber mais déjà Jeff la redressait et les ramenait sur la route, dans le sens opposé. Il accéléra aussitôt, s'éloigna enfin, hors de portée de la Datsun bleue pour quelques minutes.

Ses occupants comprirent vite que leur proie s'échappait en direction de Kona.

Ils risquèrent aussitôt la même manœuvre pour reprendre la poursuite.

— Ils reviennent !

Marilyn scrutait la lunette arrière.

— Ils vont trop vite !

Elle avait parlé d'une voix blanche et se couvrit la bouche d'une main crispée en laissant échapper un cri. Les pneus de la Datsun chassèrent sur le bitume au lieu de tourner et, dans un hurlement de freins, la voiture passa par-dessus le parapet.

6

Marilyn vit la Datsun plonger dans le ravin. Elle fut prise d'horreur, puis de soulagement, de remords et puis plus rien, juste un vide affreux.

Elle entendit la porte s'ouvrir et vit Jeff courir vers le parapet. Il recula soudain et elle entendit une violente explosion, bientôt suivie d'une flamme qui s'élevait des champs de caféiers.

Il demeura sur place, secouant la tête, puis revint lentement vers sa Mustang.

— Ça va ? demanda-t-il à la jeune femme.

Il avait ouvert la portière et lui tendait la main.

— Ça va.

Elle mentait. La gorge serrée, elle pouvait à peine respirer.

— C'est bien, ma chérie.

Il dégagea son visage des cheveux qui s'y collaient, l'embrassa.

Elle reprenait peu à peu son souffle, se détendait tant bien que mal.

— Au moins, murmura-t-elle d'une voix sourde, on n'a pas le temps de s'ennuyer avec vous !

— Venez. Marchez un peu, cela vous fera du bien.

Elle le suivit comme un automate, évitant de regarder dans le ravin. Il faisait frais ; le soleil n'avait pas encore réchauffé la vallée. Elle prit une longue inspiration mais se mit soudain à trembler de tous ses membres.

— Marilyn ? Tout va bien maintenant. Tenez, mettez ceci.

Il lui posa son cardigan sur les épaules.

— Je vous en prie, murmura-t-elle, laissez-moi seule un instant.

Il s'éloigna en hochant la tête. Elle était courageuse, une vraie battante. Il comprenait ce besoin de s'isoler ; lui aussi réagissait ainsi sous le coup d'émotions violentes. Jusqu'ici, il avait attribué ce réflexe à ses antécédents d'Indien navajo. Il semblait que Marilyn fût douée de ce même stoïcisme, qu'elle lui ressemblât en bien des points. Cependant, il ne se reconnaissait pas le droit de lui faire partager sa vie ; elle était trop dangereuse. S'il l'avait amenée ici, c'était uniquement parce qu'il se croyait protégé par Nick et Kenny.

Où étaient-ils passés ?

C'est en regagnant sa place derrière le volant qu'il vit arriver une Chevrolet grise.

— Pas trop tôt ! marmonna-t-il en faisant de grands signes.

La voiture s'arrêta à leur hauteur.

— Qui est-ce ? demanda Marilyn.

Nick et Kenny ressemblaient à des vacanciers

avec leur teint bronzé et leurs chemises hawaiiennes. Sam Adams portait la même...

Sans penser que les trois quarts de la population masculine de l'île s'habillaient de cette façon, la jeune femme frémit. A peine sortis d'un attentat, se retrouveraient-ils en butte à d'autres attaquants ?

— Des amis, fit Jeff en souriant ; des agents locaux, qui auraient dû intervenir depuis longtemps.

Il passa son bras autour de ses épaules.

— Quels gardes du corps efficaces ! leur lança-t-il calmement.

Le plus mince des deux lissa sa moustache blonde, en haussant les épaules :

— Des ennuis de radiateur. Nous avons dû nous arrêter au premier garage.

Il jeta un coup d'œil dans le ravin :

— Vous vous en êtes tiré tout seul !

— Heureusement !

Jeff les présenta à Marilyn.

— Au fait, Nick, mon téléphone ne marchait plus. Ils ont dû le saboter.

— Je sais, nous avons tenté de vous joindre. Nous vous supposions en difficulté, mais nous ne pouvions rien faire.

Jeff se tourna vers Marilyn :

— Vous n'avez sans doute plus très envie de voir ce volcan.

Elle tremblait encore et ne pouvait que s'étonner de les voir tous les trois si calmes.

— Non, murmura-t-elle.

— Nous rentrons à l'hôtel ?

— Je veux bien.

Elle n'avait envie que d'une chose : se blottir dans son lit et se cacher la tête sous ses couvertures.

— Charlie t'attend à la base pour le rapport, intervint Nick. Nous ramènerons madame.

Le clame figé de Marilyn ne présageait rien de bon. C'était lui, Jeff, qu'elle connaissait, c'était à lui de se charger d'elle.

— Non, dit-il d'un ton sans réplique, j'irai voir Charlie avec elle.

Il mit le contact.

— Merci, souffla Marilyn.

Elle n'aurait pas supporté de rester là une minute de plus. Elle rêvait d'un refuge calme et tranquille.

— Nous formons une équipe, expliqua-t-il en desserrant le frein à main. Et puis, je commence à croire que vous me portez bonheur.

— Non, dit-elle à voix basse. Il n'est nullement question de chance. Vous saviez exactement ce que vous faisiez. Comme toujours.

Il ne devait jamais rien laisser au hasard.

— Croyez-vous ? J'aimerais partager votre certitude !

— Ces hommes, reprit-elle soudain, j'espère que c'étaient les derniers.

Il prit un ton railleur et désabusé.

— Certainement pas... Sinon, je me retrouverais au chômage !

Elle serra les dents. Elle aurait préféré qu'il en fût ainsi mais s'interdit de le lui dire. Il lui avait clairement fait comprendre qu'il ne souhaitait pas discuter de son métier et, à un moment où elle se sentait si proche de lui, elle ne désirait ni le provoquer ni le pousser à se replier sur lui-même. Pourtant, elle ne put empêcher ces mots de lui échapper :

— Il existe d'autres métiers.

— Pas pour moi.

Il la regarda un instant dans les yeux.

— Je suis ce que je suis, Marilyn. N'espérez surtout pas me changer un jour ou l'autre.

Un message limpide : il ne voulait pas se laisser aimer.

Mais il était trop tard : sans lui, sa vie perdait tout son sens. Pourtant, elle ne lui dirait rien ; elle voulait son amour, pas sa pitié.

— En bonne scientifique, murmura-t-elle, je me contente d'observer, je ne rêve pas.

— Bien. Je ne voulais pas vous blesser.

Vous ne faites que ça ! avait-elle envie de crier. Mais à quoi bon ? Elle demeura silencieuse jusqu'à l'entrée de la base militaire. Elle ne pouvait le forcer à l'aimer. Un tel sentiment ne se fraye un chemin que dans la plus totale des libertés.

Jeff montra son laissez-passer au gardien et, après avoir expliqué qu'il était attendu par Charlie Cobberly, il demanda que Marilyn puisse s'installer dans l'un des appartements de réception.

— Tâchez de vous reposer, je reviens vous prendre dès que je peux.

Elle eut l'impression de se retrouver dans une

chambre de collège, impersonnelle et froide avec son Formica et ses couvertures vertes.

Le garde qui l'avait amenée lui proposa de déjeuner à la cantine, mais l'idée de la nourriture la révulsait. Elle se débarrassa de ses chaussures et s'étendit sur le lit, écoutant monter les bruits du dehors par la fenêtre ouverte. Elle se sentait complètement épuisée, vidée de toute pensée et, pourtant, elle n'avait pas envie de dormir, humait l'odeur d'herbe fraîchement coupée. Elle ferma les yeux.

Elle ne pouvait nier que les récents événements l'aient durement choquée. Le travail de Jeff était trop dangereux, il devait trouver autre chose, dans un des bureaux du F.B.I. à Washington, par exemple. Mais il s'y refusait. Il fallait l'accepter tel qu'il était ou pas du tout, ne pas rechercher de relation durable, disait-il. Pourtant, il lui témoignait parfois une telle tendresse. Il ne se comporterait pas de la sorte si elle ne signifiait rien à ses yeux.

Alors, que conclure ? Fallait-il suivre les consignes de Jeff au pied de la lettre ? Faire semblant de ne rien attendre et rentrer dans le Maryland panser silencieusement ses blessures ?

Ou rester plus longtemps à Kona et tenter de le faire changer d'avis ?

Elle se coucha sur le ventre, étudiant le dessin du dessus-de-lit. Elle avait l'habitude de se battre, non de fuir. Quand elle voulait vraiment quelque chose, elle se donnait les moyens de l'obtenir. Et elle voulait Jeff. Au diable, l'orgueil ! Elle n'allait pas jouer les indifférentes et prendre le prochain avion pour le Maryland. Elle resterait à Hawaii, passerait plus de temps avec lui et tâcherait de l'amener à réviser ses principes. Mais s'il avait raison, s'il n'était pas fait pour elle ? Cela aussi, elle le vérifierait par elle-même.

Elle n'avait pas sommeil, mais le calme alentour l'envahissait peu à peu et elle décida de dormir, le temps d'une toute petite sieste.

Elle s'éveilla trois heures plus tard. La chambre lui parut différente. Elle retint son souffle et s'aperçut qu'on avait fermé les volets. Des oiseaux chantaient et, au lieu de l'odeur de l'herbe, elle huma celle, plus entêtante, du café.

Elle voulut dégager son visage de ses cheveux mais n'esquissa pas un geste : elle n'était pas seule dans la pièce, quelqu'un l'observait, elle le sentait. Elle se tourna lentement sur le dos pour apercevoir le reflet de Jeff dans la glace de l'armoire. Assis dans un fauteuil, les jambes étendues sur le lit, il la regardait pensivement, une tasse de café dans les mains.

— Jeff ?

Elle s'appuya sur ses coudes, repoussa ses cheveux en arrière.

— Depuis combien de temps êtes-vous là ?

— Quelques minutes.

Il but une gorgée de café, reposa ses pieds sur le sol.

— Il paraît que vous n'avez rien mangé. Je vous

ai monté des sandwiches, du brandy et une Thermos de café. Avez-vous faim, maintenant ?

— Non, la tête me tourne.

Elle s'adossa à l'oreiller.

— Mais je boirais volontiers du café.

Il lui en versa aussitôt une tasse.

— Brandy ? Tous les petits soldats en boivent.

— Non, merci, j'ai trop besoin de reprendre mes esprits.

— Comme vous voudrez.

Il lui tendit la tasse et Marilyn, gênée, remarqua l'expression de ses yeux. Pourtant, sa tenue n'avait rien d'indécent. Mais, seule dans cette chambre avec Jeff, elle s'estimait trop dénudée. Elle ramassa son sweat-shirt et, d'un faux mouvement, renversa un peu de café brûlant sur sa cuisse.

Elle poussa un petit cri, posa sa tasse sur la table de nuit, les larmes aux yeux.

— Attendez ! dit Jeff.

Il prit un glaçon dans la carafe d'eau et le passa sur la brûlure. Le soulagement fut immédiat.

Il regardait ruisseler l'eau du glaçon entre sa main et la peau tendre de Marilyn.

— Ça va mieux ? demanda-t-il d'une voix rauque.

— Jeff.

Elle s'agenouilla, lui passa les bras autour du cou, l'esprit encore encombré de toutes les images terribles de la matinée.

— Serrez-moi contre vous, Jeff ! Serrez-moi fort ! Je vous en prie !

Il pressa le petit visage contre son torse, la berça comme une enfant apeurée, l'embrassa dans la nuque:

— Vous ai-je jamais dit combien je vous trouvais douce ?

— Non, murmura-t-elle sans relever la tête. Mais je vous en prie, j'aime les compliments presque autant que les cadeaux.

Elle lui montra le coquillage qu'il lui avait offert :

— C'est peut-être ce talisman qui nous a porté bonheur.

Mais lui ne voyait que la peau satinée contre laquelle il reposait, l'attendrissante naissance de ses douces rondeurs.

— Quant à moi, murmura-t-il, je vois d'autres talismans...

— Oh, Jeff !...

Elle se réfugia contre lui.

— Je serai toujours votre fétiche.

Gardez-moi avec vous ! priait-elle silencieusement ; laissez-moi vous protéger.

— Je ne pourrais supporter qu'il vous arrive malheur !

Il la fit taire en l'embrassant.

— Ne parlez pas de cela ; pas maintenant.

Elle ne le pouvait plus, car un nouveau vertige s'emparait d'elle, un délicieux vertige nommé Jeff, qui lui imposait le plus exquis des silences. Elle avait tant besoin de lui, ils avaient tant besoin l'un de l'autre.

Il commettait une erreur, il le savait, mais il la désirait plus qu'il n'avait jamais désiré aucune femme.

— Dites-moi d'arrêter, Marilyn, souffla-t-il. Vous êtes trop captivante ; je ne parviens pas à me détacher de vous.

Il l'embrassait avec dévotion.

— Vous êtes si belle, si délicate, si parfaite...

Noyée dans l'exquis tourment de ses baisers, elle se cambra pour mieux s'offrir à sa bouche ardente. Tout en caressant ses cheveux, elle souhaitait que ce moment se change en éternité. Elle laissait son corps s'épanouir au contact de cette peau mâle et tiède qu'elle avait si ardemment appelée.

— J'en rêve depuis si longtemps, murmura-t-il. Je vous ai si souvent imaginée, et maintenant, enfin, je vous vois !

— Pas trop déçu ?

— Oh, non !

Il continuait de la regarder, jouait avec les mèches cuivrées de ses cheveux.

— Je pensais à votre chevelure ; elle flamboie au soleil.

— Il n'y a pas de soleil, ici.

Elle passa doucement sa main sur sa mâchoire, se rappelant l'instant où il lui avait dit de ne pas le toucher.

Maintenant, il la laissait faire. Elle déboutonna sa chemise et retrouva ce torse découvert le premier soir.

— Pas de soleil, répéta-t-il, juste un rai de lumière à travers les persiennes.

Il redessina l'arcade de ses sourcils.

— Vos yeux sont verts comme la mer. Lorsque vous êtes en colère, ils s'assombrissent... deviennent gris comme des nuages menaçants.

— Et en ce moment ?

— Ils ressemblent à des émeraudes.

Il l'embrassa de nouveau.

Elle lui prit un doigt, le mordilla, le débarrassa de sa chemise.

— Un regard plein de promesses, chuchotait-il en souriant.

— Et je tiens toujours mes promesses.

Elle désigna ses cicatrices.

— Elles vous font encore souffrir ?

Il lui prit le visage entre les mains, caressa doucement ses joues comme de fragiles porcelaines.

— Je ne veux pas que vous en ayez d'autres ! prononça-t-elle d'un ton navré. Je ne veux pas que vous souffriez !

— Ma douce Marilyn !

Il embrassa sa tempe, les veines de son cou.

— Que feriez-vous d'un homme comme moi ?

— Je le chérirais.

Elle avait envie qu'il l'aime, qu'il en fasse sa femme, mais il la ménageait comme si elle risquait de se casser brusquement.

— Jeff, je ne suis pas un bibelot ; je suis un être de chair et de sang.

Elle l'attira violemment contre elle.

— J'ai besoin de vous.

Il la serra en soupirant, ferma les yeux.

— Vous me rendez fou. Si vous connaissiez l'intensité de mon désir...

— Moi aussi, Jeff, je vous désire.

Il défit son jean, revint à elle, viril, superbe.

— Serrez-moi contre vous, Marilyn. Serrez-moi fort !

Submergés par la vague qui les emportait, ils s'abandonnèrent à leur délire, offerts l'un à l'autre, sans plus réfléchir au lendemain, au danger qui les menaçait, à tout ce qui les séparait. Rien ne comptait plus que la fièvre du présent, cette tension insupportable qui trahissait un désir flamboyant.

S'il avait eu la possibilité d'immortaliser à jamais un fragment de sa vie, il aurait choisi celui-ci, en abolissant l'avenir. Il ne pouvait supporter l'idée de la perdre, mais il savait leur relation éphémère. Son amour pour Marilyn la mettait en danger, risquait de la détruire. Et, coûte que coûte, il empêcherait un tel malheur.

Ils demeurèrent un moment dans le silence immobile de leurs deux corps. Ils revenaient lentement à la réalité.

Trop heureuse pour avoir envie de se lever ou simplement d'ouvrir les yeux, elle caressait son torse.

— Pour toujours, murmura-t-elle.

7

Marilyn sentit les draps tièdes sur son corps, et cacha son visage dans l'oreiller. Les senteurs du matin la réveillaient petit à petit et elle tentait de rester dans le délice brumeux des souvenirs de sa nuit.

En souriant, elle tendit la main pour toucher Jeff, s'assura qu'elle n'avait pas rêvé. Mais son cœur se mit à battre. Un oreiller vide, une place froide : Jeff n'était pas là !

Elle ouvrit les yeux. Une bonne odeur de café emplissait la pièce. Ses vêtements, disséminés la veille par la furie de leur désir, étaient maintenant soigneusement pliés sur une chaise.

Elle repoussa la couverture, sortit du lit et commença à s'habiller. Le téléphone sonna dans la pièce voisine et elle entendit Jeff répondre.

— D'accord, Tom. Je suis prêt. Non, elle dort encore.

C'était sûrement Tom Hazlet. Peut-être iraient-ils dîner chez Linda, le soir ?

— Je me doutais qu'Adams finirait par craquer,

poursuivait-il. Donc il a tout reconnu quand tu lui as parlé de l'accident. Qui aurait cru Emerson mêlé à ce genre d'histoire ? Il est pourtant d'un milieu très croyant !

Emerson ? Un nom connu ! Cette famille possédait une bonne partie de Kona depuis des générations.

— Parfait. Cette fois, je crois que nous pouvons clore le dossier. Marilyn va bien. Un peu secouée, mais ce ne sera rien. Non, moi, cela m'est égal. C'était une mission comme une autre. Je resterai auprès d'elle tant que cette affaire ne sera pas résolue.

Elle frémit en l'entendant raccrocher. « Une mission comme une autre » ? « Auprès d'elle tant que cette affaire ne sera pas résolue » ?

Impossible ! Elle avait mal compris ! Pourtant non, il ne pouvait y avoir d'ambiguïté.

Elle acheva de s'habiller et pénétra dans la pièce voisine. Jeff se tenait devant la fenêtre, une tasse dans la main. Il se retourna quand il l'entendit entrer.

— Bonjour. Un peu de café ?

Il se dirigea vers la cafetière électrique.

— Vous n'êtes bonne à rien avant d'en avoir bu, si je me souviens bien ?

— J'ai entendu votre conversation téléphonique, dit-elle, ignorant son offre.

Ce matin, un simple café ne suffirait pas à la mettre de bonne humeur.

— Dans ce cas, vous savez que nous tenons toute la bande.

Une nouvelle réjouissante mais qui, en ce moment, ne l'intéressait guère.

— Qu'entendiez-vous par : « Je resterai auprès d'elle tant que cette affaire ne sera pas résolue » ?

Il se détourna, comme pris en faute.

— Vous n'aviez pas à écouter.

— Ne détournez pas la conversation, Jeff. Que vouliez-vous dire ?

Il posa sa tasse sur la table, mit ses mains dans ses poches et regarda de nouveau par la fenêtre.

— Nous ne voulions pas vous effrayer, mais Adams se doutait que vous m'aviez aidé et nous supposions qu'ils pourraient se servir de vous pour parvenir jusqu'à moi. Aussi étiez-vous sous surveillance vingt-quatre heures sur vingt-quatre.

Ce qui expliquait l'homme de l'hôtel croisé des dizaines de fois. Mais, et Jeff ? Sa conduite avec elle relevait-elle de son travail ? Une mission comme une autre ?

— Et vous aussi, vous m'avez protégée ?

Elle se demandait encore comment elle était parvenue à formuler cette terrible question.

Il hocha la tête.

— Le jour, oui.

Il parlait d'une façon tout à fait naturelle.

— Mais pas cette nuit, dit-elle glaciale.

— Ecoutez...

Il vint à elle.

— Vous ne croyez tout de même pas...

Son univers se fissurait au point qu'elle regrettait de ne pas être tombée dans le ravin. Mais elle n'avait pas paniqué alors, elle saurait se montrer calme maintenant.

— Vous savez très bien ce que je crois, Jeff!

Dites-moi que ce n'est pas vrai! imploraient ses yeux. Je vous en prie, Jeff, dites-le!

Il prit doucement son visage entre ses mains. Elle crut qu'il allait l'embrasser mais il n'en fit rien. Il se contentait de la regarder tendrement, traçant l'arc de ses sourcils du bout de ses longs doigts.

— Vous êtes si belle le matin!

— Dites-moi, Jeff, vous êtes resté avec moi cette nuit pour me protéger?

— Non, vous ne couriez aucun danger au milieu de cette base militaire.

— Alors pourquoi? Que veniez-vous chercher?

A défaut de l'aimer, pouvait-il au moins ne pas la considérer comme une simple aventure?...

Il se détacha d'elle, reprit sa tasse.

— Cette nuit je n'étais pas en service commandé. Marilyn, vous êtes belle, intelligente, et je vous aime beaucoup...

Beaucoup trop, se disait-il. Il n'aurait jamais dû se laisser aller ainsi... Mais elle l'attirait si fort, si violemment qu'il s'était laissé envoûter.

— Il y a autre chose, n'est-ce pas? Dites-le. Achevez.

— Une telle nuit n'aurait jamais dû être. Pardonnez-moi, Marilyn. Je n'ai pas su me maîtriser.

Il lui tourna le dos et posa brutalement la tasse sur la table.

— J'avais trop envie de vous.

Il se détestait d'avoir perdu ainsi la tête. Cela lui arrivait pour la première fois de sa vie.

— Je ne sais que vous dire ; je vous présente mes excuses.

Toujours cette culpabilité.

— Inutile, Jeff !

Elle s'approcha de lui, posa les mains sur ses épaules et appuya la tête contre son dos.

— Moi aussi je vous désirais. Je voulais que nous nous aimions. Et ne souhaite pas vous quitter.

— Il le faut.

Il se raidit, se dégagea.

— Vous ne savez pas ce que vous dites. Hier vous avez eu un avant-goût de la vie avec moi. Nous avons failli être tués ! Vous auriez pu mourir !

Il se tourna vers elle, désolé, comprenant le mal qu'il lui faisait.

— Voulez-vous passer votre vie ainsi ? A fuir, à vous inquiéter, constamment en danger ?

— Je veux rester avec vous.

— Non, il n'y a pas d'avenir possible pour nous. J'ai commis une folie en laissant nos relations aller si loin.

— Mais vous ne pouvez effacer ce qui a été. Alors que faire ?

— Je vais vous faire ramener à votre hôtel et je partirai pour une nouvelle mission.

— Est-ce un adieu ? Ne nous reverrons-nous jamais ?

— C'est mieux ainsi, Marilyn. Il n'y a pas d'autre solution.

Il la contemplait comme s'il cherchait à graver dans sa mémoire les traits de son visage.

— Non ! protesta-t-elle.

Culpabilité ou pas, elle en voulait à Jeff de ne tenir compte ni de ses sentiments, ni de ceux qu'il lui inspirait.

— Quel gâchis ! cria-t-elle, prise d'une rage subite. Vous avez peur ! Vous prétendez affronter le danger à longueur de journée mais vous n'avez même pas le courage de vivre votre amour.

— Marilyn...

Il tendit la main dans sa direction.

— Non. Ne me touchez pas ! Vous avez passé tant d'années à l'abri derrière votre carapace que, maintenant, vous avez peur d'en sortir.

— Je pense d'abord à vous.

— Allons donc !

Elle eut un rire sans joie.

— Vous me brisez le cœur pour ne pas me faire de mal ! Comment pourrais-je rester stoïque ?

Les yeux noyés de larmes, elle courut dans la chambre attenante, se refusant à l'apitoyer.

Il lui emboîta le pas.

— Marilyn, vous ne comprenez pas.

— Je n'y tiens pas. Vos raisonnements sont ridicules. Vous me rejetez et je ne veux pas comprendre. D'accord ? Si vous voulez l'absolution, cherchez-la ailleurs !

Elle prit son sac et son cardigan.

— Je suis prête. Qui m'emmène à Kona ?

— Je ne vous laisserai pas partir ainsi.

— Si vous tentez de m'arrêter, je hurle !

Ses yeux étincelaient de fureur.

— Laissez-moi passer, Jeff ! Ou toute la base saura ce qui se passe ici !

Il hésita puis recula dans la pièce voisine. Elle l'entendit téléphoner et eut brusquement envie de le rattraper, de lui parler, de tenter d'arranger ce qui pouvait encore l'être ; mais sa fierté et son indignation ne le lui permettaient pas. Elle ne se roulerait pas à ses pieds pour le supplier de l'aimer. A quoi bon, d'ailleurs ! Il ne céderait pas...

Quelques minutes plus tard, la porte s'ouvrait et un jeune soldat annonçait qu'il allait la ramener à Kona. Quand elle traversa le salon, Jeff était parti ; il ne lui avait même pas dit au revoir.

Durant le chemin du retour, le chauffeur tenta plusieurs fois d'entamer gentiment la conversation, mais il abandonna devant le peu d'attention qu'elle lui témoignait.

D'un côté, elle souhaitait chasser à tout jamais ses souvenirs brûlants ; de l'autre, elle rêvait encore de caresser Jeff, de sentir ses mains sur son corps. Il lui dirait qu'il s'était trompé, que tout allait s'arranger.

Elle ne savait plus où elle en était.

Elle se rendait bien compte qu'elle l'attirait, qu'il la désirait. « Je vous aime beaucoup », avait-il dit ; mais où était le véritable amour dans tout cela ?

— Il a tellement peur de se montrer humain, marmonna-t-elle pour elle-même.

— Pardon ? dit le chauffeur en se retournant à demi.

— Rien, excusez-moi, je réfléchissais tout haut. Il va me prendre pour une folle, se dit-elle en serrant les dents.

Elle ne doutait pas de son amour pour Jeff. En si peu de temps, il avait pris une place immense dans son cœur et elle l'admettait comme une évidence. Mais qu'y pouvait-elle ? Rien. Elle s'était pratiquement jetée à son cou, prête à le suivre sans condition, et il l'avait repoussée, humiliée. Elle vivait un amour non partagé. Comme dans les romans qu'elle affectionnait, que faire, sinon rentrer chez elle et reprendre sa vie là où elle l'avait laissée ?

Sue et Bobby l'attendaient à l'aéroport de Dulles. Elle serra sa sœur dans ses bras, l'embrassa, souleva Bobby de terre et, pour la première fois depuis son départ de la base militaire, oublia un instant son chagrin.

— Je suis trop grand maintenant ! protesta le garçonnet en se débattant.

— Oh ! Pardon.

Elle le reposa en riant.

— J'avais oublié, tu as presque sept ans, n'est-ce pas ?

Elle avait fait ce geste beaucoup plus pour elle que pour lui, soudainement avide d'affection. Jamais elle n'avait eu autant besoin de sa famille.

— Qu'est-ce que tu m'as rapporté ? demanda l'enfant tandis qu'ils allaient chercher les bagages.

— Bobby ! intervint Sue. Il ne faut pas réclamer !

— D'abord, intervint Marilyn en riant, je te croyais trop grand pour recevoir des cadeaux !

Mais il comprit vite qu'elle plaisantait.

— Oh ! Tante Marilyn !

Elle avait laissé sa voiture chez Sue, dans sa maison de Georgetown. Elle comptait y dîner et y passer la nuit avant de regagner le Maryland. Sue et David avaient acheté le terrain dix ans plus tôt et n'en finissaient pas d'y construire de nouveaux aménagements. Les meubles, hérités pour la plupart de la riche famille de David, étaient anciens, venant de France ou d'Angleterre.

C'était une maison parfaitement assortie à la beauté classique de la blonde Sue mais, malgré les louables efforts de sa sœur pour la mettre à l'aise, Marilyn avait toujours l'impression de visiter un musée. Sa première préoccupation en arrivant fut de donner son cadeau à Bobby qui se mit à courir à travers la maison avec son masque et son tuba, tel un explorateur dans les profondeurs de la mer. Sa mère et sa tante prenaient tranquillement le café dans la cuisine, autour d'une lourde table de chêne.

— Tu n'as pas bonne mine, déclara Sue en lui versant de la crème.

Elle lui tendit sa tasse en fine porcelaine de Limoges.

— Ingrid a pris sa journée, alors je fais le service.

Marilyn haussa les épaules. Ingrid manquait peut-être à Sue mais pas à elle. Une femme trop rébarbative à son gré.

— Tu sais ce que c'est. J'ai passé les trois quarts de mon temps à rechercher des spécimens intéressants. Et puis le décalage horaire...

— Ah!... Alors ces yeux cernés et rougis ne sont dus qu'à des vacances trop bien remplies?

Rien ne pouvait échapper à sa sœur. Le maquillage savant de Marilyn ne l'avait pas abusée un seul instant.

— Oui.

Elle regarda autour d'elle, cherchant une idée pour changer de sujet.

— Ton potager se porte à merveille, dit-elle en posant sa tasse dans l'évier.

Sue, en fin gourmet, avait planté quantité d'herbes et de plantes aromatiques.

— Si c'est une façon polie de me dire de me mêler de mes affaires, tu fais fausse route, ma chérie. Je te connais trop bien. Tu as pleuré. Tu as une mine terrible et je ne t'ai pas vue dans un tel état depuis la mort de papa. Alors, me racontes-tu ce qui s'est passé ou dois-je imaginer toute seule de terribles événements?

Marilyn revint s'asseoir auprès de sa sœur. Crispée, tendue, elle ressentait le besoin de se confier.

Elle avait toujours raconté ses secrets à sa sœur, avant que sa mère ne s'interpose.

— Je l'ai rencontré il y a une semaine, dit-elle.

Elle entama un long monologue et raconta son aventure avec Jeff dans presque tous les détails. Sans même s'en apercevoir, elles burent un plein pot de café.

— C'est la première fois que j'entends une histoire pareille, reconnut Sue. Je savais que les hommes se conduisent parfois curieusement, mais cela me semble incroyable. Ne pas vouloir s'engager avec toi pour ton bien, franchement...

— Je le crois, Sue. Et c'est bien le pire. Il était sincère.

— Mais c'est absurde ! Je suis ton aînée, alors crois-moi. Lorsqu'on aime quelqu'un, on ne l'abandonne pas ainsi. Je ne pourrais pas vivre sans David.

— Je l'espère bien !

David Linton venait d'entrer dans la cuisine. Il se pencha pour embrasser sa femme sur la joue.

— Bonjour, Marilyn. Alors, ces vacances ?

Il desserra sa cravate et se servit une tasse de café.

— Très bonnes, répondit-elle.

— Exécrables, corrigea Sue. A cause d'un homme.

— Aïe !

David s'assit, esquissant un geste d'impuissance.

— Il ne faut pas en vouloir à tous les hommes

pour autant. Ou je m'éclipse pour revenir un peu plus tard !

— Mais non ! s'exclama sa femme.

Elle lui offrit des biscuits et du fromage.

— Tu ne t'es jamais conduit ainsi. Tu m'as demandée en mariage à notre deuxième rendez-vous.

— Une décision que je n'ai jamais regrettée.

Il la prit par la taille.

— Je recommencerais si je le pouvais.

— Bien, dit Marilyn, je vais monter me rafraîchir un peu.

Elle se sentait comme une intruse devant leur bonheur si simple, si évident, et elle se prit à envier le sort de sa sœur.

— Allons ! intervint cette dernière. David ne réfléchit pas toujours à ce qu'il dit. Nous ne voulions pas te gêner.

— Ne t'excuse pas. Vous possédez quelque chose de merveilleux, tous les deux. J'aimerais...

Elle poussa un soupir et sourit.

— Je monte. Ces décalages horaires m'épuisent.

Elle escalada les marches en s'efforçant de ne penser à rien. L'été s'achevait et il lui fallait oublier Jeff, reprendre sa vie, sans lui.

Six semaines plus tard, à la mi-octobre, Marilyn se tenait devant la fenêtre de la salle de cours. La pelouse était jonchée de feuilles jaunes et rouges et les arbres se dénudaient. L'automne était là, l'hiver approchait et elle ne parvenait toujours pas à se concentrer sur son travail.

Le souvenir de Jeff la poursuivait sans trêve. Le téléphone, les coups frappés à la porte faisaient battre son cœur. Elle pensait à lui, priait pour que ce fût lui. Mais ce n'était jamais lui. Elle ne parvenait pas à se débarrasser de son obsession, croyait le voir au milieu de ses étudiants, en plein cours et, la nuit, c'était bien pire. Combien de rêves la replongèrent brutalement dans la réalité, insatisfaite et désolée, scrutant malgré tout les ombres de sa chambre ? Trop pour pouvoir les compter.

Maintenant, en se dirigeant vers son laboratoire, elle se demandait si elle parviendrait jamais à l'oublier, à emplir le vide qu'il avait laissé dans sa vie. Instinctivement, elle posa la main sur le coquillage qu'elle portait toujours en pendentif. Encore un souvenir de lui. Pourquoi ne pas l'enlever, le jeter ? Elle ne pouvait pas. C'était la seule preuve tangible de son existence, le gage d'un amour possible. En le caressant, elle imaginait son retour.

L'esprit encore embrouillé par ces idées contradictoires, elle prit deux gros livres de cours, éteignit les lumières du laboratoire et se rendit au parking. Elle fit le vide dans son esprit, consulta sa montre. Quatre heures. Terminé pour la journée mais il lui restait une réunion d'étudiants prévue pour la soirée. Café, thé et sandwiches. Elle ferait mieux d'y arriver l'estomac plein, mais elle n'avait pas le courage de cuisiner. D'ailleurs, son réfrigérateur était probablement vide. Une seule ressource lui restait : la cafétéria de l'école.

A cette heure, il n'y avait plus grand monde. Elle détestait manger seule, aussi s'arrêta-t-elle devant l'entrée, cherchant des yeux un visage connu.

Alors, elle l'aperçut. Cela recommençait. Son imagination lui jouait de nouveau des tours. Il se tenait à côté d'une jolie brune, devant la machine à café. Elle détourna son regard, un peu affolée par de telles visions, mais ne put ignorer longtemps les battements fous de son cœur... Cette fois-ci, elle en était sûre, c'était bien lui !

Elle restait interdite sur le seuil de la porte et, tandis qu'elle cherchait à reprendre contenance, deux livres lui échappèrent des mains pour tomber lourdement sur le sol. Le bruit se répandit dans toute la salle.

Jeff et sa compagne se retournèrent. Marilyn croisa son regard, ces deux prunelles noires qui la transpercèrent instantanément. Elle crut que son cœur s'arrêtait de battre. Elle espéra qu'il avait changé d'avis, qu'il revenait la chercher. Mais alors, pourquoi n'était-il pas monté dans son laboratoire ? Pourquoi restait-il dans cette cafétéria ? Et qui était cette jeune femme brune ?

Elle s'agenouilla pour ramasser ses livres et, du coin de l'œil, le vit s'approcher.

— Marilyn ?

Elle reconnut aussitôt sa voix et sa mémoire retrouva les milliers de sensations contre lesquelles elle luttait depuis son retour d'Hawaii. Elle demeura un instant immobile et silencieuse. Il lui fallait se composer un visage impénétrable, dissimuler toute trace de son amour pourtant encore si vif.

— Marilyn, tout va bien ?

De grandes mains se posaient sur ses livres.

Elle vit l'anneau aux serpents d'argent, se souvint de sa tendresse, de sa peau contre la sienne, comprit qu'elle ne l'oublierait jamais.

— Bonjour, Jeff !

Elle reprit ses livres et se redressa.

— Quelle surprise !

La joie et la colère se disputaient son cœur. Ce campus était son territoire, il n'avait pas le droit d'y amener une autre femme. Mais elle ne pouvait le dire. Les gens les regardaient et elle s'efforça de garder son calme.

— Vous êtes ici pour votre travail ?

— Mission officielle.

Officielle ! La jeune femme qui l'accompagnait ne paraissait pas bien officielle...

— Les événements d'Hawaii m'ont mis un peu trop en vedette et mon directeur préfère que je me fasse un peu oublier. Je suis temporairement chargé du recrutement dans les bureaux de Washington.

— Je vois.

Elle avala sa salive, luttant pour garder son sang-froid.

— Vous êtes sur ce campus depuis longtemps ?

Il ne devait pas manquer de collègues, pourquoi l'envoyer, lui, ici ?

— Deux jours. J'ai rencontré des professeurs, des étudiants.

— Je vois, dit-elle, à nouveau, d'une voix atone.

Deux jours ! Et il n'avait même pas essayé de la joindre. Si elle n'était pas entrée dans cette cafétéria, il serait sans doute reparti sans qu'elle le sache. Et elle, idiote, qui ne parvenait pas à l'oublier ! Quelle folie, quelle naïveté ! Heureusement, elle était parvenue à cacher son émotion. Encore un petit effort et elle serait libérée de lui...

Elle lui adressa un sourire un peu figé.

— Bien... Contente de vous avoir revu, Jeff.

Elle tourna les talons.

Il la rattrapa par le bras.

— Nous avons beaucoup de choses à nous dire.

Elle prit un air contrarié.

— Lesquelles ?

Tout son corps semblait se dérober à sa détermination ; un feu intérieur la consumait lentement. Elle se demanda si ses jambes la soutiendraient encore longtemps.

— Je vous écoute.

— Pas ici.

Il jeta un regard irrité autour de lui. La femme avec qui il parlait arrivait dans leur direction.

— Ce soir. Pourrons-nous nous voir ce soir ? lança-t-il en hâte.

— Je suis prise.

Sa réunion d'étudiants lui permettait de répondre tout à trac, sans réfléchir, sans se demander si ce n'était pas pure folie de refuser un rendez-vous avec l'homme qu'elle attendait depuis si longtemps. Mais il lui fallait d'abord se retrouver seule, reprendre contact avec la réalité.

— Je suis là jusqu'à vendredi, quand pourrai-je vous rencontrer ?

— Je regrette, toutes mes soirées sont prises.

— En êtes-vous sûre ?

Il lui posa la main sur l'épaule, la retira quand il la sentit frémir.

— J'en suis sûre, Jeff. Maintenant, je dois partir...

— Vous avez bien une minute, un jour ou l'autre. Dites-moi quand.

La jeune femme brune s'était installée non loin d'eux, attendant ostensiblement Jeff.

— Jamais. Adieu.

— Sérieusement ? Vous ai-je donc fait tant de mal, Marilyn ? Vous refusez même de m'adresser la parole ?

— Je vous en prie !

Elle jeta un regard en biais vers l'inconnue qui accompagnait Jeff. Ses cheveux raides tombaient sur ses épaules comme deux ailes de velours bleuté et il émanait d'elle une sorte de force, de fierté, d'assurance. Qui était-elle ? Une nouvelle conquête ? Quel besoin de l'amener jusqu'ici ? Etait-ce cruauté ou inconscience ? Ne voyait-il pas ce qu'il faisait ?

— C'est bon, dit-il soudain. Je vous laisse partir pour cette fois.

Il rejoignit l'autre femme qui lui posa une main sur l'épaule et lui murmura quelque chose à l'oreille. Il hocha la tête en riant. Voilà qu'ils se moquaient d'elle.

Marilyn rassembla ses livres et tourna les talons, aussi dignement que possible. Jeff pourrait croire ce qu'il voulait, rencontrer autant de femmes qu'il le désirait. Cela n'avait plus d'importance.

8

— J'en ai assez de ces breuvages insipides !

Ned Forman, le directeur d'enseignement scientifique, ne cessait de se lamenter. Il passa une main dans ses cheveux roux et bouclés.

— Ils sont capables de vous renvoyer si vous buvez trop, mais quand vous ne buvez pas...

— Vous conservez votre travail, dit Marilyn.

— La question est de savoir si votre travail vaut un tel sacrifice ! déclara-t-il en plissant le nez sur son verre de cidre.

L'horloge indiquait sept heures et quart. Marilyn était passée à son appartement pour se changer et donner à manger à Muffin, la chatte trouvée et recueillie cinq semaines plus tôt. Puis vêtue d'une robe de soie verte, elle s'était rendue à la soirée du doyen Jarlman dans le plus vieux bâtiment de l'école, qui datait de plus de cent ans.

Sans partager le point de vue de Ned, elle le comprenait. Il était à Berkeley, dans les années soixante, et gardait de cette époque agitée un esprit foncièrement bohème qui s'accommodait fort mal des habitudes conservatrices de la maison, malgré douze ans d'ancienneté.

La piste de danse était pratiquement déserte, malgré le groupe de chanteurs de l'école qui s'évertuait à créer une ambiance romantique.

— Allons, dit-elle en souriant, il ne faut pas en vouloir à notre doyen de réunir ses étudiants en début d'année. Quant à nous, les professeurs, nous devons montrer l'exemple !

— Comme la femme de César, être au-dessus de tout soupçon !

— Blancs comme neige.

— A propos, regardez qui entre.

Jeff ! Le cœur de Marilyn se mit à battre la chamade quand elle le vit serrer la main des Jarlman. Il était aussi viril en chemise beige et veste de tweed marron que torse nu et en jean, ainsi qu'à leur première rencontre. Elle devina ses muscles sous les vêtements et le vit esquisser ce sourire qui l'affolait. Elle se détourna un instant, luttant pour retrouver son calme, puis remarqua la femme brune à côté de lui. La jalousie la submergea. Apparemment, celle-ci lui convenait beaucoup mieux qu'elle-même.

— Il s'appelle Jeff je-ne-sais-comment, dit Ned. Il a rencontré la direction ce matin car il cherche à recruter quelques-uns de nos plus brillants sujets pour les bureaux du F.B.I. Inutile de vous dire que je n'étais pas d'accord.

— Pas possible ? demanda-t-elle, moqueuse.

Pour Ned, tout ce qui ressemblait à la police lui inspirait les critiques les plus acerbes.

— Ne regardez pas tout de suite, marmonna-t-il, mais ils viennent par ici. S'il s'imagine qu'il va me convaincre d'inciter mes étudiants à rejoindre ses vautours !

— Vous exagérez ! protesta-t-elle. Votre haine de la police vous rend aveugle. Cet homme est peut-être quelqu'un de très bien.

— Oui. Et moi je suis le père Noël. Venez, opérons un repli stratégique.

Il la prit par le bras pour l'entraîner à l'autre bout de la salle.

— Nous allons nous perdre dans la foule.

Trop tard, Jeff et sa compagne leur barraient le chemin.

— Monsieur Fodin ?

Il tendit la main à Ned.

— Monsieur... pardonnez-moi, répliqua ce dernier, mais j'ai oublié votre nom.

— Thompson, Jeff Thompson. Et voici Paula Stamford.

La jeune femme brune lui serra la main à son tour tandis que Jeff se tournait vers Marilyn.

— Paula m'est d'une aide précieuse pour le recrutement d'agents féminins.

Ainsi elle était aussi du F.B.I. Donc, elle comprenait ses activités, les admettait. Avec elle, il pouvait se détendre et bavarder. Aussi habituée que lui au danger, elle était en mesure de partager tous les instants de sa vie. Le couple idéal...

— Marilyn Fancher, dit Ned.

— Mlle Fancher et moi nous connaissons déjà, répliqua Jeff en lui prenant la main.

— Ah ?

Ned les regarda, étonné, puis revint vers Paula.

— Vous avez tenté de l'enrôler ou le F.B.I. s'intéresse-t-il tout d'un coup à nos richesses sous-marines ? Et si vous avez eu d'autres pensées, je vous rassure tout de suite : Marilyn n'est pas un élément subversif.

— Nous nous sommes rencontrés à Hawaii, expliqua cette dernière hâtivement. Jeff m'a aidée à recueillir du plancton.

— Et ce recrutement ? reprit Ned.

— Difficile. Certaines personnes refusent obstinément de m'écouter.

— Peut-être sont-elles insensibles à votre stratégie, reprit le directeur scientifique.

— Ou elles fondent leur jugement sur des expériences passées.

Jeff parlait d'une voix basse, presque triste.

— Mais notre point de vue peut aussi avoir changé. Elles pourraient au moins nous écouter, écouter ma version des faits.

Il gardait les yeux fixés sur Marilyn, de plus en plus mal à l'aise.

Il lui reprochait de s'en tenir au passé, mais lui-même ne vivait que de ses souvenirs et de ses cruelles expériences. Et puisqu'il paraissait aimer les paroles à double sens...

— Certaines personnes, dit-elle, sont tellement

ancrées dans leurs habitudes qu'elles n'en changeraient pour rien au monde, quitte à s'enfoncer dans l'erreur.

Pourquoi ses yeux se faisaient-ils si tendres, profonds comme le velours d'une nuit sans lune ?

— Et elles se trompent totalement, poursuivait-elle.

— Mais vous n'êtes pas comme ça ? demanda Jeff.

— Nous sommes des scientifiques. Nous nous appuyons sur les faits.

Les faits dataient à peine de six semaines quand il lui affirmait ne jamais la revoir. Effectivement, il n'avait plus cherché à la joindre depuis. Deux rencontres de hasard ne signifiaient rien et, malgré ses protestations, nul ne pouvait l'accuser de s'être dérangé pour elle.

— Rien que les faits, Jeff.

Elle dévisageait la jeune femme brune à côté de lui.

— Tout ce que nous pouvons voir et entendre, dit-elle.

— J'entends de la musique, fit-il doucement. M'accordez-vous cette danse ?

Elle resta bouche bée.

— Pardon ?

— Venez danser !

Il lui montra la piste occupée par cinq couples.

— Seuls les étudiants dansent, répliqua-t-elle. Les professeurs sont censés se montrer raisonnables et préserver leur autorité.

— Je danserai d'une façon tout à fait raisonnable, promis. Nous nous contenterons d'un slow ou d'un fox-trot.

Il la prit par le coude.

— Veuillez nous excuser, lança-t-il à l'adresse de Ned.

Il mena la jeune femme vers la piste de danse, juste sous les guitares.

Se retrouver dans les bras de Jeff! Son vœu le plus cher, mais aussi sa plus grande crainte. Lorsqu'il la serra contre lui, elle réprima un frémissement.

— Vous allez bien ? demanda-t-elle.

— A merveille. Pardonnez-moi de vous avoir un peu forcé la main, mais il fallait absolument que je vous voie seule.

— Seule, c'est une façon de parler.

— Fermez les yeux.

De la bouche il lui effleura les joues en lui passant les doigts sur les paupières.

— Maintenant il ne reste plus personne, que nous deux.

Elle le regarda avec méfiance. Elle ne se laisserait pas enjôler aussi facilement. Son chagrin la tenaillait encore et elle ne s'exposerait pas à recevoir de nouvelles blessures.

— Le doyen Jarlman est là, ainsi que les étudiants et mes collègues. Nous ne sommes pas seuls, Jeff.

— Ils ne s'occupent pas de nous.

Il parlait d'une voix douce, lui caressant les cheveux, attirant sa tête contre son épaule.

— La plupart des gens ne s'intéressent qu'à eux-mêmes et ne font pas du tout attention aux autres.

En particulier un certain Jeff, songea Marilyn. Submergé par ses contradictions, ses sentiments de culpabilité, il se croyait le seul à connaître des difficultés, comme si le reste du monde vivait dans un univers parfait.

— Ne projetez pas votre attitude sur les autres, Jeff.

Ils dansaient lentement, dans les bras l'un de l'autre, sur un nuage rose... Les mains de Jeff couraient sur le dos et la taille de Marilyn au rythme de la musique. Nous nous entendons si bien, pensa-t-elle. Nos corps, nos gestes s'accordent comme si nous ne faisions qu'un. Et pourtant, Jeff ne devait pas partager cette impression. Maintenant encore, elle ressentait la cruauté de ses paroles : « Il n'y a pas d'avenir pour nous, Marilyn, aucun avenir possible. »

Alors pourquoi dansait-il avec elle ? Pourquoi la tenait-il dans ses bras ?

Il la désirait encore, elle en était certaine, mais cela ne lui suffisait pas. Elle le lui avait pourtant dit. Et il l'avait repoussée. Elle ne le lui répéterait pas. Sa fierté ne le supporterait pas. La musique jouait maintenant de façon plus langoureuse. Il l'étreignait violemment. Elle ouvrit les yeux.

Il la contemplait de ses yeux de jade, comme s'il cherchait à s'imprégner d'elle, à l'intégrer à lui-même. La musique s'était tue mais Jeff la tenait encore dans ses bras. Il ne dansait plus mais l'entraînait doucement.

— Sortons d'ici, murmura-t-il. Il y a beaucoup trop de monde dans cette salle.

— Je ne vous retiens pas.

C'était bien là le genre de relation qu'il cherchait, n'est-ce pas ? Pouvoir s'en aller et revenir au gré de sa fantaisie. Pas d'engagement. Pas de liens permanents.

— Je voudrais sortir d'ici avec vous.

— Pourquoi ?

Cette attitude, trop retenue, exaspérait Marilyn. Elle jeta un regard du côté de Ned et Paula. Ils paraissaient fort bien s'entendre. Apparemment, celle-ci ne reculait pas à l'idée de jouer sur plusieurs tableaux. C'était sans doute cette facilité qui avait attiré Jeff. Elle devait le reposer de ses exigences à elle.

— Je vous l'ai déjà dit : il faut que nous parlions tous les deux.

— Nous avons épuisé tous les sujets à Hawaii. Vous n'êtes pas obligé de me faire des politesses sous prétexte que nous nous sommes rencontrés fortuitement.

Et, ajouta-t-elle intérieurement, sous prétexte que Paula est plus tolérante que moi.

Elle se détourna et se dirigea vers la table des rafraîchissements. Elle n'avait nulle intention de redonner à Jeff une place dans sa vie, ni de détruire le fil ténu de tranquillité qu'elle tissait patiemment.

Le buffet lui parut aussi appétissant que les plats réchauffés servis dans les avions. Mais elle avait besoin de réfléchir, de remettre de l'ordre dans ses idées.

— Vous avez quitté la cafétéria sans rien manger, dit-il en arrivant derrière elle. Quelque chose ou... quelqu'un vous aurait-il fait perdre l'appétit ?

— Sûrement pas.

Plutôt mourir que reconnaître son pouvoir sur elle.

— J'avais un autre rendez-vous.

— Ah ! C'est vrai, votre emploi du temps est tellement chargé !

Il parlait d'un ton agacé.

— Pas une minute de liberté, n'est-ce pas ? Pas pour moi, en tout cas. Pas le temps de vous reposer, de parler... Vous prenez vos repas sur le pouce. Mais vous n'avez pas encore choisi votre sandwich, à ce que je vois. Laissez-moi trouver quelque chose qui nous convienne à tous deux.

Jusque-là, Marilyn s'était maîtrisée. Mais maintenant, il se moquait d'elle, croyait pouvoir la jeter et la reprendre comme une poupée de son.

— Vous trouverez, persifla-t-elle. Quelque chose de rapide, de léger, de pas trop encombrant non plus, et, surtout, facile à oublier...

— Et si mes goûts avaient changé ? Si les en-cas ne me satisfaisaient plus ? Qui vous dit que je n'en veux pas davantage désormais ? Que je ne veux pas tout ?

— Quoi que vous vouliez, vous devrez sans doute aller le chercher ailleurs.

Elle vit, au fond de la salle, Ned et Paula en grande conversation.

— Je crains qu'il n'y ait plus rien pour vous, ici.

— Mademoiselle Fancher ?

— Bonsoir, Eric.

Elle se tourna vers l'adolescent qui venait de s'approcher : le rêve des étudiants, le cauchemar de ses professeurs. D'une intelligence nettement supérieure à la moyenne, il transformait tous les cours en champ de bataille et, ne trouvant pas d'interlocuteurs à la hauteur parmi ses camarades, recherchait la compagnie des adultes.

— Vous vous amusez bien ? demanda-t-elle.

— Oui, assez.

Il ajusta ses lunettes, jeta un bref regard à Jeff, décida que ses propres réflexions étaient beaucoup plus importantes que la conversation en cours.

— J'ai réfléchi aux marées noires que vous avez évoquées cet après-midi.

— Oui.

Elle lui prit le bras et s'éloigna du buffet, tandis qu'un étudiant s'approchait de Jeff.

— Et qu'en avez-vous conclu, Eric ?

Ils s'assirent et elle écouta le déluge de paroles du jeune homme. Il espérait découvrir un solvant capable de transformer le mélange eau de merpétrole en une substance biodégradable, inoffensive.

Autour d'eux, les gens commençaient à se lever. Ned et Paula partirent ensemble. Apparemment, le directeur scientifique avait changé d'avis sur les gens du F.B.I. Marilyn ne comprenait pas que cette femme pût le préférer à Jeff. Ce dernier discutait maintenant près de la cheminée avec un groupe de jeunes gens.

Elle s'était sans doute trompée sur ses relations avec Paula. Et peut-être même sur d'autres choses ?

Elle l'observa à la dérobée. Jusqu'ici, elle ne s'était pas vraiment autorisée à le regarder, redoutant de succomber à son attirance, certainement aussi vite que la nuit de leur rencontre, quand il lui était apparu à l'avant du chalutier. Elle n'oublierait jamais leurs moments de passion, elle y aspirait encore, mais son désir se teintait de haine, au souvenir de ses avances repoussées.

— L'important, poursuivait Eric, est que cette substance n'ait pas d'effets écologiquement négatifs et j'ai pensé...

— Eric, ce sujet est trop grave pour une discussion à bâtons rompus. Je vous conseille plutôt de préparer un mémoire. Je vous aiderai si vous le souhaitez.

Elle se leva et lui tendit la main, qu'il prit comme un cadeau royal.

Jeff souriait aussi, et elle reconnut ce sourire ; il avait le même en lui accrochant son pendentif autour du cou. Inconsciemment, elle posa la main sur le coquillage. Elle pouvait partir maintenant, rentrer sans adresser la parole à Jeff, lui renvoyer son indifférence, son mépris, ou rester et lui parler, entendre ce qu'il avait à lui dire.

Il lui manquait. A quoi bon se le cacher ? Sa fierté valait-elle un tel sacrifice ? Pouvait-elle la mettre en balance avec son amour pour lui, au risque de ne jamais le revoir ? Les derniers jours, à Hawaii, elle l'avait accusé de ne vouloir courir aucun risque, mais n'agissait-elle pas de façon identique ? Et que craignait-elle ? Ce n'était qu'un homme, après tout, et elle, une femme adulte, évoluée, parfaitement capable de se prendre en charge.

Elle traversa la salle en se faufilant parmi les étudiants.

Un éclair de surprise scintilla dans les yeux de Jeff quand il l'aperçut, mais il poursuivit :

— En d'autres termes, c'est un peu la lutte entre les bons et les méchants et je préfère penser que les bons sont de notre côté.

Il sortit quelques cartes de visite de sa poche et les distribua.

— Si certains d'entre vous sont intéressés, ils peuvent toujours me joindre à ce numéro.

Marilyn y lut une adresse de Washington.

— Vous n'en avez pas besoin, dit-il en s'approchant d'elle, nous pouvons discuter dès maintenant.

Discuter, certes, pensa-t-elle, mais pourrai-je jamais vous atteindre, briser la barrière qui nous sépare ?

— Vous aviez quelque chose à me dire, Jeff ?

— Beaucoup de choses.

Il regarda la foule qui s'égaillait.

— Mais pas ici. Si nous partions ?

Il l'aida à enfiler son manteau, l'accompagna pour prendre congé des Jarlman, s'effaça pour la laisser sortir avant lui.

L'air frais de la nuit la fit frissonner. Elle enfila ses gants et releva son col.

— Si nous allions manger un peu, boire quelque chose de chaud ?

Il rentrait les épaules pour se protéger du vent glacé qui tourbillonnait.

— Ma voiture n'est pas loin.

Il la guida vers un véhicule de fonction bleu foncé, lui ouvrit, s'installa à son tour, mit le moteur et le chauffage en route.

— Un peu de patience et il fera chaud.

— Depuis combien de temps êtes-vous à Washington ?

— Deux semaines.

— Je vois.

Son cœur se serra. Depuis deux semaines il se trouvait à une heure de route, depuis deux jours il arpentait le campus de son propre collège, et pas un signe. La gorge sèche, elle se raidit par avance contre les paroles gentilles qu'il pourrait prononcer. Des paroles creuses...

— Vous dites toujours « je vois », répliqua-t-il, mais en réalité vous ne voyez rien du tout, vous ne comprenez rien. Nous ne nous sommes pas rencontrés par hasard, ce soir. Je venais pour vous, pour savoir comment vous alliez.

— Très bien.

Elle gardait les yeux fixés sur ses genoux, incapable de soutenir ce regard qui la brûlait. Sa vie fonctionnait de nouveau comme une mécanique bien huilée : son travail, ses habitudes. Que ferait-il des milliers de larmes ravalées dont elle refusait de parler ?

— Je vous vois, maintenant, reprit-il, et cela ne me suffit pas.

Il dégagea son visage des cheveux qu'elle avait enfoncés dans son col pour se tenir chaud.

— Je veux vous tenir dans mes bras.

Il ouvrit le premier bouton de son manteau.

— Un océan nous séparait, Marilyn, et pourtant je vous sentais proche de moi.

Il plongea la main dans sa poche, en ressortit l'écharpe blanche qu'il lui avait prise le premier soir à Hawaii, l'enroula doucement autour du cou de la jeune femme.

— Un peu de vous est toujours resté près de moi. Depuis cette première nuit où je vous ai tenue dans mes bras, je n'ai pu vous oublier.

Elle caressait l'écharpe et posa sa main sur la sienne. Ainsi, il ne l'avait pas oubliée. Elle occupait une place dans son cœur. Mais laquelle ?

— Marilyn, ma chérie !

Il était si près, tellement près. Oppressée, elle eut un instant l'impression de ne plus pouvoir respirer. Elle l'attendait depuis si longtemps. Maintenant il était là. Si elle s'approchait encore un peu et lui passait les bras autour du cou... « Il n'y a pas d'avenir possible pour nous, Marilyn. » L'écharpe ne signifiait rien. Il refusait de s'engager, ne demandait que quelques nuits par-ci par-là, une femme à sa disposition. Non. Elle s'était abaissée une fois à lui déclarer ses sentiments et elle ne recommencerait jamais.

Elle s'écarta de lui, referma son manteau. Il s'était mis à pleuvoir, une pluie glaciale qui martelait le toit de la voiture.

— Ce n'était pas l'océan qui nous séparait, Jeff. Vous m'avez blessée à Hawaii. Je ne vous laisserai pas recommencer.

— Je ne voulais pas vous faire de mal. Je...

Un coup de klaxon retentit derrière eux et Jeff jeta un coup d'œil dans le rétroviseur.

— La voiture garée derrière moi ne peut pas manœuvrer. Il faut que je bouge.

Il dégagea la place.

— Je vous ai proposé de manger quelque chose. Connaissez-vous un bon restaurant ?

— Par là.

Elle désignait une route qui passait devant le campus.

— Vous trouverez autant de pizzas et de hamburgers que vous voudrez. C'est une ville d'étudiants, ici.

— Pas très alléchant. Rien d'autre ?

— Rien, à moins d'aller jusqu'à Baltimore. Et par ce temps... Tournez là.

Ils passèrent dans une avenue bordée de petits restaurants où s'entassaient les étudiants, sous des néons froids.

— Prenez à droite, dit-elle. Nous pourrons toujours dîner chez moi.

9

La maison victorienne, blanche et ocre, où habitait Marilyn, avait été construite pour une seule famille. Maintenant, ses dix-huit pièces étaient divisées en quatre appartements. Celui de la jeune femme se trouvait au dernier étage. Jeff et elle s'étaient glissés silencieusement dans l'escalier de chêne orné d'un tapis de style oriental.

Il regardait avec surprise les appliques de cuivre à l'ancienne, le papier mural jaune, ce palier qui sentait bon la cire. Il aurait imaginé un cadre de vie plus moderne, plus fonctionnel pour cette jeune femme si indépendante.

— On se croirait dans un château de conte de fées, dit-il en atteignant le second étage.

— C'est mon refuge.

Elle ouvrit sa porte, entra. Un appartement clair et empli de plantes vertes, doux et frais, tout comme elle, songea Jeff.

Un joli chat siamois aux yeux bleus vint à eux en miaulant et la jeune femme se précipita vers la cuisine pour remplir son écuelle.

Elle sourit.

— Je vous préviens, je n'ai que des plats surgelés à vous offrir, ou des hamburgers. Ils seront prêts dans une minute, le temps de les passer au four.

Elle prépara un feu dans la cheminée du living et s'installa dans le canapé.

Il avait pris Muffin sur ses genoux et la petite chatte ronronnait doucement. Toute son attitude dénotait l'homme tendre, attentionné.

— Avez-vous déjà eu des animaux, Jeff ?

— Quand j'avais cinq ans, oui.

Elle se leva pour sortir du Coca-Cola frais.

— Mon grand-père, poursuivait-il, m'a offert un chiot que j'ai appelé Jax. Un affreux bâtard, mais je l'adorais. Nous avons dû le lui laisser quand mon père a été nommé en Europe.

Elle apporta les hamburgers chauds sur des plateaux. Ils allaient faire la dînette comme deux collégiens. Au passage, elle lui effleura la main, comme pour le remercier de ses souvenirs d'enfance et il sourit, heureux de cette douce intimité...

Le vent hurlait derrière les fenêtres, envoyant des rafales de pluie contre les vitres. Un éclair illumina soudain la rue et l'appartement fut plongé dans l'obscurité.

Muffin miaula doucement.

— Panne de courant, décréta Marilyn.

Elle se leva, il lui saisit le poignet au passage.

— Je vais chercher des bougies, dit-elle.

— Pour quoi faire ? Nous sommes bien ainsi, le feu nous éclaire assez.

— Jeff, je vous en prie !

— Vous avez peur de l'obscurité ? Ou est-ce de moi ? Vous m'en voulez toujours pour Hawaii ?

— Vous m'avez fait du mal, et vous le savez bien. Mais vous pouvez mener votre vie à votre guise.

Elle n'allait pas le supplier de rester avec elle, ni succomber à sa passion encore si vive.

— Et si je vous demandais de la partager, cette vie ?

Il l'attira à lui, lui effleura la tempe d'un baiser.

— Pour combien de temps ? demanda-t-elle en se dégageant. Jusqu'à ce que l'orage soit passé ? Que vous rentriez à Washington pour une nouvelle mission ?

Elle regagna sa place sur le canapé, plia ses jambes sous elle et s'absorba dans la contemplation du feu qui répandait dans la pièce une lueur orange et irréelle.

Elle ne mangeait pas, trop bouleversée pour avaler une seule bouchée. Elle s'en voulait. Jeff lui avait pourtant bien recommandé, dès le début, de ne pas échafauder de rêves. Mais elle ne l'avait pas écouté, elle seule portait les responsabilités de ce naufrage.

— Marilyn, murmura-t-il, je vous en supplie, donnez-moi une nouvelle chance ! Oubliez tout ce que j'ai pu vous dire. Faisons comme si nous nous rencontrions pour la première fois. Recommençons de zéro.

Le regard perdu dans les flammes mouvantes, elle paraissait figée.

— Je ne veux plus souffrir, dit-elle à mi-voix.

— Et je ne veux pas que vous souffriez. C'était la raison de ma décision.

A l'époque, sûr d'opter pour la seule solution valable, il n'avait pas voulu voir son expression désespérée. Au cours de ces six semaines, s'en souvenir avait rendu sa solitude insupportable, et il s'était porté volontaire pour la campagne de recrutement à Washington, dans l'unique but de la revoir.

— A Hawaii vous m'avez dit que vous vouliez rester avec moi.

— Oui.

Elle avait alors abdiqué toute fierté. Seul comptait son amour pour lui. Elle aurait fait n'importe quoi pour le convaincre.

— Et vous m'avez traité de lâche, parce que je me dérobais.

— Oui.

Pour emporter sa décision, elle s'était sentie prête à utiliser n'importe quel argument.

— Cette campagne de recrutement m'a paru une chance décisive. Je suis venu spécialement pour vous voir, Marilyn. Je ne puis vous promettre de passer la vie entière avec vous, mais j'aimerais rester avec vous, apprendre à mieux vous connaître, à mieux nous connaître l'un, l'autre...

Il se pencha vers elle.

— N'est-ce pas encore assez, Marilyn ? Je n'ai jamais rien proposé de semblable à aucune autre femme et je ne pensais pas le faire un jour.

— Et Paula, Jeff ?

— Juste une amie, une collègue, comme Ned Fodin pour vous. C'est bien ainsi que vous le considérez, n'est-ce pas ?

— Oui.

Elle lui passa doucement la main sur le visage ; elle savait qu'il disait vrai et qu'il tentait de supprimer les obstacles qu'il avait dressés entre eux.

— Si je vous ai fait monter ici, Jeff, c'était pour que nous en parlions.

— Peut-être.

A son tour, il lui passa la main sur le visage et le cou, descendant doucement le long de sa chaîne, jusqu'au pendentif.

— Au risque de perdre à jamais toutes mes chances de vous plaire, murmura-t-il, laissez-moi vous dire que je n'ai pas tellement envie de discuter en ce moment.

Le cœur de Marilyn se mit à battre la chamade.

— Pour un homme peu bavard, Jeff, vous en dites parfois trop, beaucoup trop...

Il lisait le trouble sur son visage.

— Vraiment ? Je me demande comment vous plaire.

— Facile.

Elle commença à déboutonner sa chemise.

— Très facile.

Il l'embrassa dans le cou et elle lui mordilla l'oreille.

— Je ne veux que vous, rien que vous.

Mais, sans oser le dire, elle voulait bien autre chose que leur plaisir partagé : sa confiance, et aussi ses secrets les plus intimes.

Tandis qu'il déboutonnait sa robe, les mains tremblantes, elle lui découvrait un regard éperdu, fou de désir. La flamme de la cheminée répandait sur la peau de la jeune femme sa lueur dorée, la rendait douce comme la soie qu'il venait de lui retirer.

— Vous êtes belle.

Il s'efforçait de maîtriser son impatience, par crainte de briser la magie de leurs retrouvailles d'un geste trop brusque.

Mais, quand il l'embrassa, son empressement sauvage la bouleversa. Elle comprit qu'il n'en pouvait plus, qu'il avait dû l'attendre avec autant d'impatience qu'elle et, oubliant momentanément tous ses doutes, elle l'entraîna auprès d'elle, sur le tapis tiédi par la cheminée toute proche.

C'était si bon d'être aimée avec cette ardeur, dans la douceur feutrée de la nuit, quand la pluie faisait rage au-dehors.

Il se noyait dans l'émeraude de ses yeux mi-clos, se laissait entraîner dans le monde sauvage où elle l'attirait, un monde où tout devenait si simple, si follement évident. Ils s'aimaient et leurs corps, eux, savaient se le dire sans détour.

Grisé de plaisir, il se sentit, pour la première fois de sa vie, totalement comblé par cette femme qui s'abandonnait à lui au-delà de tout le mal qu'il avait pu lui faire. Epuisé mais heureux, il se serra contre elle, cacha son visage au creux de sa poitrine et, à ce moment, il sut que l'amour de Marilyn l'avait enrichi d'une dimension nouvelle. Toute sa vie il avait recherché une telle femme et, sans elle, il n'était plus rien. Il ne la laisserait jamais s'éloigner de lui.

Il se redressa, la contempla, tendre et alanguie, épanouie comme une grande fleur tropicale.

— Vous m'avez tellement manqué. Je n'ai cessé d'attendre cet instant depuis votre départ.

Il rêvait de la tiédeur de ce corps souple et ferme qui épousait si bien le sien, de cette sensation d'accomplissement chaque fois qu'il la tenait dans ses bras.

— A quoi pensez-vous ?

Elle lui caressait le torse du plat de la main, jouant avec le duvet noir et doux qui cachait ses cicatrices.

— De toute ma vie, jamais je n'ai été aussi heureux.

Il la couvrit de sa veste. Il avait peut-être froid lui aussi, mais elle n'avait pas envie qu'il s'habille et s'en aille.

— Nous serions mieux dans mon lit, juste derrière vous.

Il se tourna, étonné, quand elle lui désigna le canapé.

— Ce quartier est cher, expliqua-t-elle, et je suis

tombée amoureuse de ce studio, alors, j'ai dû m'accommoder du manque de place et me meubler en conséquence.

Elle sourit.

— J'aime les choses différentes, uniques, comme vous.

Elle se leva pour déplier le lit quand elle avisa la table avec les hamburgers toujours intacts.

— Nous n'avons pas dîné, observa-t-elle. N'avez-vous pas faim ?

— Si, mais pas de cela... D'autant qu'ils doivent être froids, maintenant.

— Ne vous inquiétez pas, j'ai d'autres réserves dans le congélateur. Que choisissez-vous : lasagnes, poulet chasseur, bœuf Stroganoff ?...

Il grimaça.

— Vous savez, moi, les plats industriels...

— Mais vous offensez mon bon goût, mon cher ! Il ne s'agit pas de surgelés !

Il lui caressa les cheveux.

— Elle m'aime, elle est belle, elle est intelligente et elle sait faire la cuisine ! Je rêve !

— Non. Toute modestie mise à part, je dois bien accepter les trois premiers qualificatifs, mais le quatrième revient à ma sœur Sue qui a préparé ces plats. Que diriez-vous du bœuf Stroganoff ?

Tandis qu'il préparait la table, elle apportait le plat et le vin.

— Pourquoi avez-vous finalement accepté de me voir ? demanda-t-il en débouchant la bouteille.

— Je n'avais pas vraiment renoncé à l'idée de vous retrouver un jour, Jeff. Je suis contente que vous restiez un peu à Washington.

Si seulement il pouvait y rester pour toujours...

10

En s'éveillant, elle sentit tout de suite une alléchante odeur de café.

— Bonjour, dit Jeff.

Il venait d'installer sur la table un petit déjeuner complet avec jus d'orange et œufs brouillés.

— Que faites-vous ? demanda-t-elle en s'asseyant.

Elle se passa la main dans les cheveux pour tenter de les discipliner.

— Chut ! Pas un mot.

Il lui versa du café dans une tasse et la lui tendit.

— Je vous ai dit que je saurais m'en souvenir : d'abord le café, puis le petit déjeuner au lit...

Elle prit la tasse en souriant, ravie de se voir ainsi dorlotée.

— Merci, dit-elle doucement.

— J'aime faire plaisir et puis vous ne faites pas la cuisine, tandis que moi...

— Vous me comblez !

Le regard de Jeff la transportait.

— Vraiment ?

Elle hocha la tête, ferma les yeux, humant avec délices le café avant d'y goûter.

— Je ne demande que cela, ajouta-t-il.

Il l'embrassa dans le cou.

Elle le retint comme il allait s'éloigner. S'éveiller ainsi pour le trouver à ses côtés ajoutait encore au bonheur apporté par leur nuit. Elle se rappelait l'intimité quotidienne de Sue et David. N'en approchait-elle pas un peu en ce moment ? Et, cette fois, leur joie ne s'évanouissait pas dans la brutale réalité d'un monde hostile mais s'épanouissait en une promesse nouvelle et merveilleuse.

— Je donnerais cher pour savoir ce que vous pensez en ce moment, dit-il, songeur.

— Je sais maintenant pourquoi je n'ai jamais pris mon café au lit.

— Oui ?

— Parce que le plus important me manquait jusque-là... Vous, Jeff !

— Serait-ce une invitation ?

Il apporta le plateau près du lit.

— Puis-je me joindre à vos agapes sous la couverture ?

Quand il l'embrassa, Marilyn se dit que le petit déjeuner n'était pas forcément le premier bonheur du jour.

— Si nous ne mangeons rien, soupira-t-elle, nous allons mourir de faim. Mais je n'ai pas envie de bouger.

Elle gardait la tête appuyée sur le torse de Jeff et

dessinait du bout des doigts les muscles de son bras.

— Ne parlez pas de mourir quand nous sommes ensemble, murmura-t-il.

— Je plaisantais.

Mais elle sentait bien sa contrariété. Ainsi il croyait toujours que sa compagnie pouvait être néfaste à une femme.

Il demeura un instant sans bouger puis se leva, s'habilla. Elle vint lui caresser l'épaule.

— Jeff, je vous veux... toujours... Sans vous je ne me sens bonne à rien.

Elle voulait qu'il sache à quel point elle avait besoin de lui.

— Si l'on m'offrait la vie éternelle sous condition de ne jamais vous revoir, je refuserais. Comprenez-vous ?

— Et les risques ?

— Je n'ai pas peur. Je vous aime et voudrais passer...

Elle avait failli dire : le reste de ma vie avec vous, mais elle ravala ces mots à temps. Il n'était pas prêt à s'engager aussi loin.

— ... le plus de temps possible avec vous, dit-elle. Nous avons tous les deux notre profession, Jeff, mais chaque fois que nous pourrons nous voir...

— Mais les risques ? répéta-t-il.

— Peu m'importe, Jeff ; quoi qu'il arrive.

Rien de mal ne vous arrivera jamais, promit-il en son for intérieur, pour autant que je puisse intervenir. Il la prit dans ses bras et la sentit se détendre contre lui. Il sourit.

— A propos de profession, ajouta-t-il, j'ai une réunion avec quelques-uns de vos étudiants dans moins d'une heure.

— Seigneur ! Quelle heure est-il ?

Son cours commençait à neuf heures.

— Sept heures.

Il embrassa le bout de son nez et se baissa pour enfiler ses chaussures.

— J'ai juste le temps de passer à l'hôtel pour prendre une douche et me changer.

Il posa un baiser sur son menton, serra sa main dans la sienne, puis se dirigea vers la porte et sortit.

Elle regarda longtemps le panneau fermé et s'aperçut qu'elle était nue au milieu de la pièce, tremblante de froid. Jeff n'avait pas dit quand ils se reverraient. Il pouvait tout aussi bien disparaître six autres semaines, ou six mois. Ils ne s'étaient rien promis et lui avait eu ce qu'il attendait d'elle : une nuit d'amour.

Amère, elle se rendait dans la salle de bains quand la sonnette retentit.

— Pour ce soir, déclara Jeff quand elle ouvrit, je termine à quatre heures, et vous ?

Elle réfléchit un instant, récapitulant son emploi du temps.

— A trois.

— Alors je réserve au restaurant pour sept heures. Avec de vraies nappes, des verres en cristal et des bougies.

Il la contempla d'un air étonné.

— Quelque chose ne va pas ?

Elle secoua la tête.

— Non, mais quand vous êtes parti, je croyais que... Oh ! rien...

Elle s'en voulait d'avoir aussi vite douté de lui et n'osait le lui avouer.

— Ne vous inquiétez pas, Marilyn. Nous méritons une nouvelle chance et nous la tenterons, je vous le promets.

Il l'embrassa sur le front avant de repartir.

Elle chantonnait sous sa douche, souriante, heureuse. Si elle en avait eu le temps, elle aurait bondi de nouveau sous ses couvertures rien que pour réfléchir à son bonheur, à sa joie, à son amour.

Son euphorie dura jusqu'à l'heure du déjeuner, quand son assistant vint lui annoncer une marée noire qui s'avançait vers la côte sauvage où vivaient quantité d'oiseaux et d'espèces sous-marines. Lorsque ce genre d'accident se produisait, beaucoup trop souvent au goût de Marilyn, elle se rendait sur le terrain avec tous ses étudiants pour aider les sauveteurs.

Elle échangea sa tenue contre un jean et un anorak puis chercha comment joindre Jeff pour lui annoncer qu'elle serait en retard, mais, ignorant totalement où il pouvait se trouver, elle laissa un mot sur le pare-brise de sa voiture.

Une fois sur place, elle n'eut plus le temps de songer à Jeff ni à rien d'autre, trop occupée à laver les oiseaux qui se débattaient désespérément sur la plage engluée. Une brume désolée entourait les sauveteurs que le froid faisait frissonner.

Lorsque Jeff vint les rejoindre, elle achevait de nettoyer une mouette qui pépiait misérablement. Elle remit l'oiseau à Eric, se débarrassa de ses gants et alla remercier Jeff de sa présence. Il l'avait retrouvée bien qu'elle ne lui ait pas précisé sa destination exacte. Elle était tellement heureuse de le voir qu'elle en oublia presque sa fatigue et l'humidité ambiante.

— Bonsoir, Jeff !

Elle lui serra la main.

— Ned m'a indiqué le chemin.

Il lui tint un instant la main mais n'esquissa pas de geste plus tendre afin de ne pas la compromettre auprès de ses étudiants.

— Merci de votre mot, reprit-il en l'entraînant à l'écart. Vous êtes très charitable.

— Où voyez-vous de la charité ? Je ne vous ai pas fait un chèque ! Quand je me sens vraiment concernée, je m'implique directement.

Elle chassa les cheveux collés sur son visage, en vain, car le vent et l'air du large les rendaient lourds et poisseux.

Dire que, au départ, elle comptait rentrer vite après ses cours pour se faire belle en vue de la soirée ! En ce moment, elle se sentait à peu près aussi aguichante qu'un marin pêcheur en pleine action.

— Je suis navrée de contrecarrer vos projets. Mais c'était un cas de force majeure.

— Je comprends.

D'un geste tendre, il enleva le sable qui maculait sa joue.

— J'ai retardé les réservations, car j'ai toujours l'intention de vous emmener dîner. Pour gagner du temps, j'ai apporté de quoi me changer chez vous. Maintenant, puis-je donner un coup de main ?

Elle lui expliqua comment prendre les oiseaux, les laver, les rincer.

— Ensuite, nous les mettons en cage pour les relâcher dans une zone non polluée.

Elle parlait doucement, presque comme si elle s'excusait. Sue se moquait déjà de son trop bon cœur ; que dirait donc Jeff ? Comparé à ses missions secrètes, le nettoyage des mouettes et autres goélands devait lui paraître complètement dérisoire. Mais il ne la critiquait pas. Il souleva doucement son menton, plongea le regard dans ses yeux verts :

— Vous êtes quelqu'un de bien.

Elle sourit, oubliant le froid et la saleté, se sentant soudain aussi belle qu'après trois heures passées dans un bain moussant.

— Maintenant, cessez de me regarder ainsi, à moins que vous ne teniez à donner un cours impromptu d'éducation sexuelle à vos étudiants, et dites-moi plutôt ce que je dois faire.

A la nuit tombée, il était couvert de sable et de mazout comme les autres sauveteurs. Marilyn ramena ses étudiants au campus et dit à Jeff qu'elle le retrouverait chez elle. Quand elle arriva, il l'attendait sur le palier, assis sur les marches, une valise à ses pieds.

— J'aurais dû vous laisser une clef, dit-elle en ôtant ses chaussures.

Muffin les accueillit en ronronnant et se frotta aux jambes de Jeff.

— Me voilà adopté, dit-il en se penchant pour la caresser.

Ils avaient tous deux besoin de se laver énergiquement des pieds à la tête. Dans sa petite salle de bains, ce ne serait pas pratique.

— Prenez votre douche le premier, proposa-t-elle.

Elle nettoierait son visage pendant ce temps, et se laverait les cheveux.

— Prenons-la ensemble !

Elle hésita. Se laver à deux lui paraissait le stade ultime de l'intimité. Puis elle se décida.

— C'est la plus agréable invitation que l'on m'ait faite de la journée.

— Ah, oui ? Combien en avez-vous reçues, au juste ?

Ils se déshabillèrent et elle se demanda encore une fois comment le mazout pouvait ainsi traverser les vêtements.

— Vous savez, répondit-elle en riant, une jolie femme comme moi ne compte même plus les propositions.

— Evidemment.

Il l'embrassa et la caressa de ses mains noires et elle ne put s'empêcher de pousser un cri.

— Mais vous avez tout refusé en bloc, poursuivit-il, pour venir avec moi ! Dieu ! Il ne s'agit pas de vous décevoir.

Sans cesser de l'embrasser, il l'amena doucement vers la douche et ils restèrent un instant scellés dans un baiser ardent. Puis il se détacha et fit couler l'eau tiède sur le corps de la jeune femme. Elle se laissait faire, transportée d'aise. Il commença par lui laver la tête, faisant doucement mousser le shampooing, massant le cuir chevelu comme s'il avait fait cela toute sa vie. Puis il entreprit de lui savonner le corps, toujours avec cette lenteur calculée qui la reposait et l'exaltait tout à la fois.

Ils n'échangèrent pas un mot et elle n'ouvrit pas une fois les yeux, l'imaginait seulement, qui tournait autour d'elle, s'agenouillait, se redressait, frottant avec une brosse douce après avoir passé le savon.

— A vous maintenant, dit-elle quand il eut terminé.

Ce fut pour elle un plaisir différent mais tout aussi intense. Il la laissait s'occuper de lui, docile et attentif à ses moindres mouvements. Elle se hissa sur la pointe des pieds pour lui laver la tête et acheva l'opération par un baiser.

Alors il la prit dans ses bras, la serra violemment contre lui et, sous l'eau tiède, l'entraîna dans le torrent de son désir brûlant, à travers les rapides de sa passion, tourbillonnant, chutant, montant jusqu'au zénith, sous le soleil aveuglant de l'extase.

Elle murmurait encore doucement son nom, lorsqu'elle se blottit contre son torse, comme noyée, à la dérive, mais bien vivante au fond d'elle-même, d'une vie nouvelle, éblouissante.

La salle de bains disparaissait sous un nuage de vapeur; Jeff arrêta l'eau. Il recueillit les gouttelettes qui perlaient au bord des cils de la jeune femme tandis que le silence tombait.

— Je vous aime, Marilyn.

Elle avait bien entendu, elle ne s'était pas trompée. Elle ouvrit les yeux.

— Je vous aime, ma chérie.

Ces mots résonnèrent dans sa tête comme un carillon joyeux, alors que Jeff, une serviette nouée autour de sa taille, posait un peignoir sur ses épaules, et la ramenait dans le living.

— Je tiens beaucoup à vous emmener dîner ce soir, déclara-t-il, aussi vais-je me dépêcher de m'habiller avant de me laisser détourner de mon projet.

Le dîner dans l'élégant restaurant français correspondait à tout ce qu'il avait annoncé et plus encore : une rose rouge et une boîte de chocolats l'attendaient, posées sur son assiette.

Quel homme exquis, plein d'attentions, tellement désireux de lui faire plaisir! Il tenait vraiment à elle, et ne cessait de le lui prouver.

— A quoi pensez-vous?

Il scrutait son visage tout en buvant son café. La tasse de porcelaine blanche paraissait incroyablement fragile entre ses larges mains.

Comme je vous aime ! pensait-elle.

— Je suis heureuse de vous avoir rencontré, en dépit de la bizarrerie des circonstances.

Avant de venir, il lui avait dit qu'il l'aimait, mais pouvait-elle accorder crédit à des paroles prononcées dans le feu de la passion ?

Il continuait de la contempler avec son sourire nonchalant.

Elle en éprouva un étrange picotement dans la nuque.

— A quoi pensez-vous ?

Elle espérait qu'il allait répondre : A vous !

— Nous devrions rentrer.

Sans la quitter des yeux, il fit signe au serveur.

— J'ai envie d'être seul avec vous.

Ce n'est pas une si mauvaise idée, pensa-t-elle en posant sa main sur la sienne.

Ils passèrent ensemble les deux nuits suivantes. Le jeudi soir, ils dînèrent dans un restaurant thaïlandais et assistèrent à un concert Mozart donné par les étudiants du collège. Le vendredi ils virent la pièce *Un tramway nommé Désir* jouée par la section d'art dramatique. Marilyn put constater, non sans étonnement, que, malgré leurs formations si différentes, ils appréciaient les mêmes loisirs.

Jeff rentrait à Washington le lundi, ce qui ne faciliterait pas leurs rencontres. Mais Marilyn ne voulait pas y penser : il leur restait encore le week-end.

— Nous avons toute la journée pour nous,

déclara Jeff le samedi quand ils s'éveillèrent, tard dans la matinée. Que désirez-vous faire ?

Elle sourit, effleurant son corps d'un mouvement doux.

— Tenez-vous vraiment à le savoir ?

— Vous devenez insatiable ! dit-il en l'attirant contre lui.

— Vous en plaindriez-vous ?

— Ai-je l'air de me plaindre ?

Il lui caressait le dos, épousait du plat des mains la courbe de ses hanches.

— Je possède une maison en Virginie. Nous pourrions nous y rendre, rester seuls pour le...

Le téléphone sonna et Marilyn se redressa pour aller répondre.

— Allô ?

Elle s'éclaircit la voix afin de retrouver un ton naturel.

— Marilyn ? Sue à l'appareil. Tout va bien ? Je ne te réveille pas, au moins ?

— Non, je ne dormais pas.

— Il ne manquerait plus que cela, marmonna Jeff.

Marilyn fronça les sourcils pour lui intimer le silence.

— J'espère bien ; à onze heures ! reprit Sue. Nous t'attendons en début d'après-midi.

— Comment ?

— C'est l'anniversaire de Bobby. Maman vient spécialement de New York. Ne me dis pas que tu as oublié !

— Non, bien sûr que non, voyons !

— C'est évident ! commenta Jeff en lui caressant la jambe.

Elle poussa un soupir et s'éloigna de lui.

— Arrêtez ! fit-elle en couvrant le récepteur.

Il lui répondit d'un regard innocent.

— Que dis-tu ? demanda Sue.

— Rien, je parlais toute seule.

— Menteuse, dit Jeff.

— Je voulais te demander un service, continuait Sue. Mon réfrigérateur est déjà plein à craquer et j'ai commandé une glace pour Bobby. Pourrais-tu passer la prendre en arrivant ? Tu connais cette petite pâtisserie française...

— D'accord. Puis-je venir avec un ami ?

Elle ne savait pas comment réagirait Jeff à l'idée de passer la journée parmi des enfants turbulents mais elle ne se sentait pas le droit de décevoir son unique neveu.

— Bien sûr. Je connais ?

— Non. Ce sera la surprise. A tout à l'heure.

Dès qu'elle eut raccroché, Jeff la reprit dans ses bras.

— Où en étions-nous ?

Elle le repoussa et posa les pieds par terre.

— Nous allions nous préparer pour un goûter d'anniversaire.

— Curieux. J'aurais juré que nous faisions autre chose.

Elle sourit et se dirigea vers le placard pour choisir une robe.

— Aimez-vous les réunions enfantines ?
— J'en ai perdu l'habitude.
— C'est bien ce que je pensais. Un bon conseil : économisez votre souffle, vous en aurez besoin !

Quant à elle, elle redoutait moins la gaieté envahissante des bambins que la rencontre avec sa mère.

11

Le soir, Jeff dut admettre que Marilyn ne s'était pas trompée sur les conséquences d'un goûter d'enfants. Sue et David trahirent un tel épuisement qu'il offrit de raccompagner lui-même plusieurs enfants. En outre, cela lui permettait d'échapper à la mère de Marilyn, une femme terriblement égocentrique qui affichait sa préférence pour Sue sans se soucier de la peine évidente de sa cadette.

A plusieurs reprises dans la journée, Edwina avait critiqué sa façon de s'habiller, son travail, sa vie, s'en prenant finalement à lui, par allusions et phrases à double sens. C'est à ce moment qu'il avait proposé de faire le chauffeur. Il était clair que, malgré son peu de considération pour sa fille, Edwina le trouvait indigne d'elle.

Quand il rentra, Sue insista pour lui montrer l'album de photos familiales. Il regarda poliment et demeura silencieux la plupart du temps. Il avait du mal à admettre qu'une petite fille couverte de taches de rousseur, maigrichonne et mal fagotée, fût devenue la jolie femme assise devant lui. Quant à Sue, elle ressemblait à une poupée de porcelaine : blonde, le teint clair, des cheveux souples comme de la soie, d'immenses yeux bleus. Elle éclipsait sa petite sœur par sa beauté.

— Sue a toujours été si jolie ! soupirait Edwina en regardant par-dessus son épaule. Je l'aurais bien vue mannequin... ou même actrice.

— Plutôt mourir ! répliqua celle-ci. Marilyn, en revanche, avait du talent. Rappelle-toi la pièce qu'elle avait écrite pour une distribution de prix.

Elle feuilleta l'album et s'arrêta devant une photo de Marilyn en perruque grise et tablier de coton.

— Voilà ! C'est ce jour-là qu'elle a gagné un prix. Elle avait écrit, mis en scène et joué sa pièce !

— Oui, admit Edwina. Mes deux filles étaient extraordinaires. Pas de la même façon. Sue est sociable et féminine comme moi, alors que Marilyn ressemblait à son père. Il était professeur, voyez-vous, et se contentait de l'être... Il préférait la pêche aux réceptions. Nous étions si différents... Je me demande encore comment notre mariage a pu tenir aussi longtemps. Je me suis sentie revivre après l'avoir quitté.

— Excusez-moi, intervint Marilyn, mais j'ai déjà vu toutes ces photos cent fois. Je vais voir comment Bobby s'en sort avec son détecteur de métaux.

Sans attendre de réponse, elle prit son manteau et fila dans le jardin où l'enfant recherchait des trésors enfouis. Comment sa mère pouvait-elle parler aussi légèrement d'un divorce qui avait brisé le cœur de son père et probablement causé sa mort ? Elle eut du mal à boutonner son vêtement tant ses mains tremblaient.

L'enfant était occupé à retourner un massif d'azalées quand elle s'approcha de lui.

— Tu ne trouves rien ? demanda-t-elle.

— Des clous rouillés, répondit le garçonnet sans relever la tête.

— Tu sais, nous ferions mieux d'aller sur la plage. Les jardins servent plutôt à planter des fleurs, tandis qu'au bord de l'eau, la marée peut apporter toutes sortes de choses.

Le gamin montra sa face barbouillée de terre fraîche.

— On y va ? demanda-t-il, les yeux brillants.

— Pas tout de suite, le soir va tomber.

— Demain ?

— Nous verrons.

— Tu peux dormir ici et nous partirions en pique-nique demain ! Tu veux ? Je vais demander à maman !

Il jeta sa pelle, s'essuya les mains sur son pantalon et fila vers la maison, manquant de heurter Jeff qui sortait.

— Il a trouvé de l'or ? demanda ce dernier en riant.

— Non, rien que des clous et des capsules de bouteille. Quand je l'ai vu occupé à dévaster ce malheureux jardin, j'ai eu la malencontreuse idée de lui suggérer la plage et il est persuadé que je l'y emmène demain.

— Attendez, je vais arranger cela.

Tandis qu'elle replantait le massif tant bien que mal, Jeff sortait quelques pièces de sa poche et les enterrait au pied d'un genévrier.

— Ce n'est pas le Pérou, acheva-t-il, mais c'est mieux que rien.

— Vous êtes trop gentil ! s'écria-t-elle en le prenant dans ses bras. Vous vous préoccupez des chats, des oiseaux et des petits garçons !

Il ferait un merveilleux père. Si tous deux se mariaient, voudrait-il tout de suite des enfants ?

— Hé, vous deux ! cria Bobby du perron. Maman dit que le dîner est prêt !

Le repas fut servi par une sinistre matrone nommée Ingrid qui ne regardait personne dans les yeux et dont la bouche ne devait jamais sourire. Un vrai robot, pensa Jeff.

Après le repas, elle apporta du café et des liqueurs. David parla du nouvel avion qu'il venait de s'offrir et proposa à Jeff de venir le piloter en sa compagnie.

— Merci, mais je me refuse à ce genre d'exercice. Mon père était pilote d'essai ; le jour de mes dix ans, on m'a annoncé qu'il ne reviendrait plus. Il m'a manqué toute ma vie, et je me suis juré de ne plus avoir que des rapports très distants avec les avions. Je les emprunte uniquement en cas d'absolue nécessité.

— Mais vous devez voyager beaucoup.

— En effet. Cela fait partie de mes obligations.

Marilyn constatait une fois de plus qu'il n'aimait pas parler de son métier.

Elle se rendit dans la chambre de Bobby car elle avait promis de lui raconter une histoire.

Jeff les rejoignit peu après, les regarda un instant.

Sue avait distribué les chambres de la façon la plus logique possible à ses yeux : sa mère prenait, comme d'habitude, la chambre d'ami à côté de celle de Bobby. Jeff et Marilyn se retrouvaient à l'autre bout du couloir, dans deux pièces séparées par une salle de bains commune.

Sous l'œil attentif d'Edwina, sa fille souhaita bonne nuit à Jeff avant de gagner sa chambre. Marilyn remarqua aussitôt la porte qui menait à la salle de bains. Elle espéra que Jeff l'ouvrirait mais il n'en fit rien. Elle l'entendit prendre sa douche.

Elle se déshabilla en hâte, se glissa dans la chemise de nuit bleu pâle que lui avait prêtée sa sœur. Jeff viendrait-il la rejoindre ? Il avait paru assez sombre tout le temps du dîner. La comparait-il avec Sue ; remarquait-il leurs différences ? Sans doute. Tout le monde le faisait. Toute sa vie elle avait vécu dans l'ombre de sa sœur. Elle n'aurait jamais dû l'amener ici.

Elle se regarda dans la glace de la coiffeuse. Sa lèvre inférieure était trop pleine, son nez plein de taches de rousseur et ses cheveux impossibles. Elle essayait de les discipliner quand elle entendit la douche s'arrêter. Quelques minutes plus tard, la porte de la salle de bains s'ouvrait et Jeff entrait, une serviette bleue nouée autour des reins, les cheveux encore mouillés.

Si elle le vit venir à elle dans le miroir, elle ne se retourna pas. Ses doigts se crispèrent sur sa brosse et elle ralentit son mouvement quand il s'arrêta derrière elle pour poser les mains sur ses épaules.

— Laissez cette brosse, dit-il en glissant une paume jusqu'à sa taille. J'aime quand vos cheveux dansent comme des flammes.

Elle se retourna, entoura son cou de ses bras. Il la trouvait à son goût, il l'aimait, il la désirait telle qu'elle était. Elle pressa les doigts contre sa nuque pour l'amener à l'embrasser.

— Je n'étais pas sûr... murmura-t-il contre ses lèvres.

— De quoi ?

En même temps, elle picorait mille petits baisers sur sa bouche mi-close. Les bras de Jeff se refermèrent autour de sa taille et elle sentit s'évanouir sa contrariété après les paroles d'Edwina.

— Dites ?

Mais elle ne lui laissait pas le loisir de répondre, attrapant sa lèvre inférieure du bout des dents, riant de sa confusion et du plaisir évident qu'il y prenait.

Il avait passé la journée à écouter Edwina dénigrer sa fille sans pouvoir intervenir. Toute la journée, il s'était retenu de lui montrer son désir et quand elle lui avait souhaité bonne nuit, il avait craint que sa mère ne l'ait mise en garde contre lui.

— Je n'étais pas sûr que vous vouliez encore de moi.

Il la souleva de terre pour la coucher sur le lit.

— Comment ? demanda-t-elle, incrédule.

— Vous m'avez paru si tendue, depuis ce matin, si froide.

Il s'allongea auprès d'elle, se mit à jouer avec les bretelles de sa chemise.

— Je me demandais si, au sein de votre famille, vous n'alliez pas vous rendre compte que je ne vous convenais pas du tout.

— Vous me convenez parfaitement, Jeff.

Elle le reprit dans ses bras, lui caressa les épaules, massant du bout des doigts ses muscles durs comme de l'acier.

— Je craignais seulement que les critiques de ma mère et la comparaison avec Sue ne vous fassent changer d'avis à mon sujet.

— Comment le pourrais-je jamais ? Vous, la plus douce, la plus désirable des femmes que j'aie jamais connues !

Tout l'après-midi, il s'était demandé comment cette vipère d'Edwina avait pu donner naissance à une fleur tendre et chaleureuse comme Marilyn.

— Cela ne vous ennuie pas que je sois moins jolie que Sue ?

— Qui a dit cela ?

— Oh, Jeff !

— Vous ne me croyez pas ? Je trouverai un moyen de vous convaincre.

Il fit glisser une de ses bretelles pour dégager sa

poitrine et révéler le grain de beauté qu'elle portait près du cœur.

— Voilà le petit rêve érotique qui m'a tourmenté tout le temps du dîner. Je ne pensais qu'à l'embrasser et maintenant, enfin, je le puis.

Il caressa du bout des lèvres la peau tendre, sans tenir compte de ses protestations étouffées. Il savait d'ailleurs fort bien que, s'il y obéissait, elle serait la première à le lui reprocher.

Les lèvres entrouvertes, les yeux fermés, elle chercha la serviette qu'il portait encore pour la détacher.

Ils roulèrent l'un sur l'autre en luttant et riant, et soudain tout bruit cessa. Ils se regardaient, se disaient avec les yeux ce que leurs corps brûlaient de s'avouer.

Enfin ils se retrouvèrent, dans la douce lumière rosée de la lampe de chevet, attentifs l'un à l'autre, ardents à partager leur joie intense, leur soif l'un de l'autre, l'extase où ils s'entraînaient mutuellement.

— Je vous aime, Marilyn. Jamais je n'ai dit cela à une femme.

Il s'était perdu en elle mais avait découvert un bonheur dont il n'avait même pas soupçonné l'existence.

— Je vous trouve merveilleux, murmura-t-elle en embrassant son torse humide. Ce premier soir, quand je vous ai vu sur le chalutier, j'ai éprouvé un choc. Vous étiez le plus bel homme que j'aie jamais rencontré. La même nuit, vous étiez dans ma chambre, et j'avais envie de vous caresser, comme je le fais en ce moment.

— Les hommes ne sont pas beaux, dit-il.

Il parlait contre son front, ses tempes, et souhaitait que ce moment durât toujours. Elle correspondait si bien à tout ce dont il avait rêvé chez une femme. Elle lui inspirait une telle tendresse, une telle joie.

— Vous l'êtes, pourtant. Vous avez la peau douce et ambrée comme un daim précieux, vos cheveux sont si noirs...

Elle se recula un peu pour mieux le contempler, appuyée sur les coudes :

— Aile de corbeau, continua-t-elle. Et vos yeux... flamboient comme des braises.

— Vous versez dans la poésie !

Il lui caressa la joue.

— Vous êtes une femme surprenante... On se sent comme dépaysé, avec vous.

— Avec vous aussi. Au début, je vous prenais pour un Polynésien.

— Non, j'ai un grand-père navajo.

— Navajo ?

Elle sourit.

— J'avais donc raison. Je savais que vous étiez quelqu'un d'extraordinaire. Voyons. Si vous avez un quart de sang indien, vos enfants en auront un huitième.

— Si j'ai des enfants.

— Vous en aurez un jour.

— Cela n'entre pas dans mes projets.

Elle ne répondit pas, le cœur transpercé de douleur. Pas d'enfants. Jamais. Quelques mois auparavant, elle eût été de son avis, mais plus maintenant, pas depuis sa discussion avec le Dr Carrow, pas depuis qu'elle connaissait Jeff. Désormais elle voulait des enfants. De Jeff.

— Je disais la même chose il n'y a pas longtemps, murmura-t-elle.

Elle s'assit et replia les genoux.

— Mais j'ai changé d'avis, depuis.

— Moi pas, Marilyn. Et je n'en changerai pas.

Il lui caressait les pieds, le regard dans le vague.

— Je n'aurai jamais d'enfants.

— Comment pouvez-vous l'affirmer ?

Avait-il des ennuis, lui aussi ? Elle en tremblait intérieurement.

— Je vous ai raconté la mort de mon père, Marilyn. Vous vous rendez bien compte que mon métier est au moins aussi dangereux que le sien. Faire naître des enfants dans notre monde de fous implique déjà une certaine inconscience mais si, en outre, le père exerce une profession à haut risque...

— Vous aviez votre mère, Jeff !

— Ma mère. Oui. J'avais ma mère.

Il eut un rire sans joie.

— Elle avait épousé mon père uniquement pour sa prestigieuse carrière. Quand il est mort, adieu luxe et liberté. Je devenais un boulet pour elle. Elle m'a confié à mon grand-père et je n'ai plus entendu parler d'elle. Lorsque j'ai appris sa mort dans un accident d'auto, je ne me rappelais même plus son visage.

— Je suis désolée, Jeff.

Elle se serra contre lui, posa la tête sur son épaule.

— Inutile, je m'en suis sorti.

Oui, songea-t-elle, vous vous en êtes sorti, mais à quel prix ? Une telle amertume...

— Les choses ne se déroulent pas toujours ainsi, Jeff. Si vous aimiez quelqu'un, ne chercheriez-vous pas à le rendre heureux ? Et un foyer ne serait-il pas un grand bonheur pour vous ? Nous pouvons réussir mieux que nos parents.

Il lui prit la main, la tint serrée entre les siennes et la posa sur son torse.

— Il n'y a pas de place dans ma vie pour des enfants, Marilyn. Il n'y en aura jamais.

Ils demeurèrent un long moment immobiles et silencieux, puis il récupéra sa serviette.

— Je devrais retourner dans ma chambre.

Il se leva.

— Sue ne serait pas contente si elle découvrait que je n'ai pas utilisé le lit qu'elle m'a préparé.

Marilyn se cacha sous ses draps en hochant la tête. Leur intimité de ces derniers jours venait de se briser et Jeff le sentait aussi bien qu'elle. Il ne regagnait pas sa chambre à cause de Sue mais parce qu'un nouvel obstacle s'élevait entre eux. Elle désirait des enfants. Lui pas.

En le regardant partir, elle éprouva une désolante impression d'abandon. Seule à nouveau !

Tous ses espoirs partaient en fumée, encore une fois.

Elle tenta cependant de se réconforter : s'il avait déjà changé d'avis une fois, pourquoi ne parviendrait-elle pas à le convaincre à ce sujet, également ? Avec le temps... Le temps. Son vieil ennemi. Le Dr Carrow avait été catégorique. Si elle voulait des enfants, c'était maintenant ou jamais.

Elle savait désormais qu'elle désirait vivre avec Jeff. Mais lui, où en était-il ? Sa volonté était assez forte pour dominer ses désirs ; alors, si elle insistait vraiment pour avoir des enfants... Non. Elle voulait Jeff, plus que tout au monde. Ils pouvaient être parfaitement heureux ensemble. Seulement, s'il changeait un jour d'avis, ne serait-il pas trop tard pour elle ? Elle devait lui parler, lui expliquer la situation.

Elle frissonna, s'enroula dans ses couvertures mais continua de trembler. Le froid était au plus profond d'elle-même, dans son cœur. Pourquoi sa vie ne se déroulait-elle pas simplement ? Pourquoi lui fallait-il choisir entre l'homme qu'elle aimait et les enfants qu'elle désirait ? Les enfants de Jeff.

Les heures s'écoulèrent, désespérément lentes, désespérément vides de sommeil. Aux premières lueurs de l'aube grise, elle enfila sa robe de chambre et se glissa dans la pièce voisine. Jeff ne s'y trouvait pas. Le dessus-de-lit était froissé et le pyjama, prêté par David, posé sur une chaise.

Etait-il parti pendant la nuit, contrarié par leur

conversation ? Non, il l'aurait prévenue. Ce n'était pas son genre de filer à l'anglaise.

Elle retourna dans la salle de bains, prit une douche, revêtit le pantalon gris et le pull-over assorti prêtés par Sue et descendit au rez-de-chaussée. Jeff et Bobby, assis dans la cuisine, bavardaient de la pluie et du beau temps sur le ton le plus sérieux du monde.

— Bonjour ! lança Jeff.

Il avait les cheveux en bataille et les yeux fatigués.

— Du café ?

Sans attendre sa réponse, il se leva pour lui en verser.

— Merci.

Apparemment, il avait aussi mal dormi qu'elle.

Quand il lui tendit sa tasse, leurs doigts se touchèrent et Marilyn reçut comme une décharge électrique. Lui aussi apparemment, car il retira vivement sa main. L'attirance demeurait, quels que soient leurs différends.

— Il va pleuvoir, déclara sombrement Bobby. Notre pique-nique est à l'eau.

— Ce sera pour une autre fois, dit Marilyn, à moitié soulagée.

Le petit garçon plongea sa cuillère dans son bol de céréales, visiblement déçu.

— Je voulais jouer avec mon détecteur de métaux.

— Je t'emmènerai à la plage à la première occasion, je te le promets. Tiens, regarde.

Elle prit un carnet et nota : « Bon pour une journée à la plage dès qu'il fera beau. Tante Marilyn ».

— C'est un engagement solennel, tu pourras me le rappeler quand je reviendrai, et je n'aurai pas le droit de refuser. Demande à ton père.

L'enfant se précipita vers David qui descendait. Gonflé de fierté lorsque celui-ci lui eut confirmé la valeur du document... il partit allumer la télévision pour regarder les émissions enfantines.

Le petit déjeuner avalé, Jeff suggéra de regagner tranquillement le Maryland.

Des trombes d'eau se déversaient sur le pare-brise, et les essuie-glaces rythmaient le silence dans lequel tous deux s'enfermaient. Marilyn n'avait pas besoin de parler pour savoir à quoi pensait Jeff. Elle lui connaissait cet air sombre depuis Hawaii.

— Vous tenez à avoir des enfants, n'est-ce pas ? dit-il soudain.

— Oui.

A quoi bon mentir ?

— J'y ai beaucoup pensé, ces derniers temps et...

Non, elle ne lui annoncerait pas le diagnostic du Dr Carrow. Ce serait une sorte de chantage. Elle ne désirait que son amour.

— Je vous vois bien avec des enfants, Marilyn. Cela crevait les yeux, à votre attitude avec Bobby. Vous seriez une merveilleuse mère. Vous méritez d'en avoir beaucoup.

— Mais pas avec vous ?

— Pas avec moi.

— Et si je vous disais que les enfants comptent moins à mes yeux que vous ?

Elle avait parlé lentement, s'efforçant de dominer le tremblement de sa voix. En fait, elle ne voulait d'enfant que de Jeff.

— Vous parlez sérieusement ?

— Oui.

Il regardait la route sans plus rien dire. Il savait qu'elle ne mentait pas, qu'elle préférait renoncer aux enfants plutôt qu'à lui. Mais elle garderait alors toujours un grand vide dans sa vie et, cela, il ne pouvait l'exiger d'elle.

Elle attendait tranquillement sa réponse. Ne lui avait-elle pas déclaré qu'il comptait plus pour elle que tout au monde ? Qu'ajouter à cela ?

Ils demeurèrent silencieux jusqu'à l'arrivée. Quand il coupa le moteur et demeura immobile à sa place, elle connut sa réponse sans qu'il eût à la formuler. Elle ne voulait pas l'entendre. Elle tourna la poignée de sa porte.

— Je ne peux pas vous donner ce que vous me demandez, Marilyn.

— Vous ne pouvez pas, ou vous ne voulez pas ?

— Je ne suis pas fait pour la vie de famille. Il faut me comprendre.

— Oh, je vous comprends !

Elle ouvrit et sortit.

— Marilyn, laissez-moi vous expliquer.

Il s'était penché pour tenter de la retenir.

— Ne vous donnez pas cette peine, Jeff ! Je ne

vous demande ni excuses ni explications. Plus maintenant. Dès que vous saurez si vous voulez de moi ou non, faites-moi connaître votre réponse. Jusque-là, je préfère rester seule ; pour l'amour du ciel, laissez-moi !

En relevant son col, elle courut jusqu'au perron.

12

Une pénible impression de déjà vécu étreignit le cœur de Marilyn tandis qu'elle montait l'escalier et ouvrait la porte de son appartement. Elle avait connu ce genre de confrontation, à la base militaire d'Hawaii. Pour la seconde fois, elle vivait avec cet homme une histoire d'amour, des moments inoubliables, tout cela pour aboutir à ce vide désespérant. Décidément, elle ne parvenait pas à assimiler la leçon : il n'était pas pour elle.

Muffin vint l'accueillir, fidèlement, et se frotta contre ses jambes.

— Nous avons toutes les deux été abandonnées, murmura-t-elle, les yeux pleins de larmes.

Au fil des jours, sa tristesse s'accrochait à elle. Chaque heure passait comme une éternité ; semaine après semaine, elle se surprenait à revivre en pensée sa dernière matinée avec Jeff, cherchant les mots qui auraient pu le convaincre, peut-être.

La journée, elle se réfugiait dans son travail mais, la nuit, seule dans son appartement, elle rêvait de lui, se demandant où il était, sursautait à chaque coup de téléphone, se retenant de l'appeler elle-même. A quoi bon ? C'était à lui de changer, pas à elle. Les enfants exigeaient trop d'engagement de la part d'un homme comme lui. Il redoutait une liaison permanente qui lui interdirait de s'en aller quand il le désirerait. Elle regardait le téléphone, comme un bon génie, capable d'exaucer ses désirs. Pourquoi n'appelait-il pas ? Pourquoi ?

Tout à coup, la sonnerie, tant attendue, retentit. Elle tressaillit, puis resta paralysée par ce bruit strident. Elle tendit le bras. L'image de Jeff jaillit dans son esprit au moment où elle décrocha, mais elle entendit la voix de sa sœur, complètement affolée :

— Marilyn ! Tu n'as pas vu Bobby ?

— Bobby ? Non. Que se passe-t-il ?

— Il n'est pas rentré de l'école.

— Comment ? mais il est huit heures du soir !

— Je le sais bien ! cria Sue en éclatant en sanglots.

Elle entendit un grésillement puis la voix de David :

— Ecoutez, Marilyn, nous vous tiendrons au courant. Mais il faut dégager la ligne, pour la police, vous comprenez...

— La police ? Attendez...

Il avait raccroché.

La jeune femme demeura éberluée devant son récepteur puis tout d'un coup prit une décision. Elle ne pouvait rester là à attendre d'hypothétiques nouvelles. Elle deviendrait folle avant et sa sœur aussi. Elle devait la rejoindre.

En roulant vers Georgetown, elle tenta de se rassurer. Bobby avait dû s'attarder chez un de ses petits camarades et elle trouverait toute la famille réunie quand elle arriverait. Elle le couvrirait de baisers et n'aurait plus qu'à prendre le chemin du retour.

Deux voitures de police se trouvaient devant la maison de sa sœur. Un agent s'approcha d'elle comme elle se garait à proximité. Elle déclina son identité, apprit par la même occasion que l'on était toujours sans nouvelles de l'enfant.

Elle trouva les parents effondrés sur le canapé en cuir du bureau de David, les yeux fixés sur le téléphone. Sa sœur semblait avoir vieilli de vingt ans.

— Marilyn ! Oh, Marilyn ! sanglota-t-elle en la voyant entrer. Il lui est arrivé malheur. Je le sais, j'en suis sûre !

— Ne dis pas de bêtises.

Elle se débarrassa de son manteau. Il faisait froid dans cette pièce comme dans toute la maison, et l'éclairage lui parut lugubre. Tout autant que sa sœur, elle craignait le pire.

— Il doit dîner chez un ami et il aura oublié de te le dire.

Elle se pencha pour faire du feu. La chaleur les apaiserait un peu.

— Il est plus de neuf heures ! s'exclama Sue. Tu

penses bien que j'ai téléphoné à toute sa classe. Je ne sais plus que faire !

— Ne t'inquiète pas, ma chérie, dit David. La police se charge de tout, maintenant.

— La police ! Ils prétendent qu'il est trop tôt pour s'inquiéter ! Qu'il a peut-être fait une fugue à la suite d'une punition.

— Ce n'est pas son genre ! marmonna Marilyn sans réfléchir.

— Enfin quelqu'un de mon avis ! s'écria Sue. Si seulement nous pouvions les en convaincre ! S'il y en avait un parmi eux qui connaisse Bobby, il comprendrait que cette supposition est absurde !

— Marilyn, et Jeff ? demanda sombrement David.

— Oui, reconnut la jeune femme. Lui saurait que faire.

Elle sortit son carnet d'adresses et l'appela. A peine dix minutes plus tard, il se présentait chez les Linton et interrogeait les policiers.

— Vous connaissez Bobby, murmura Marilyn. Dites-leur qu'il n'a pas pu faire une fugue.

— Ils ne le croient pas, dit-il en l'entraînant dans la cuisine.

A ce moment le téléphone sonna.

Ils demeurèrent un instant figés sur place. Sue fut la première à se précipiter vers l'appareil.

— C'est lui ! cria-t-elle.

— Attendez !

Jeff l'arrêta au moment où elle allait décrocher.

— Je prends l'autre poste.

Il courut dans l'entrée et lui fit signe qu'il était prêt.

— Bobby ? demanda Sue.

— Je le tiens, répondit une voix caverneuse. Si vous voulez le revoir, renvoyez la police.

— Non ! cria Sue.

On avait raccroché.

La malheureuse demeura pétrifiée, le regard vide, avant d'essayer de nouveau :

— Allô... allô...

— Inutile, intervint Jeff.

— Ils ont enlevé Bobby ! murmura David d'une voix blanche.

Marilyn se mordit le poing, confrontée cette fois, pour de bon, avec la peur qui l'étreignait depuis l'appel de Sue.

— Nous le ramènerons, dit fermement Jeff.

— Oh, non ! s'écria Sue. Vous allez partir. Tous !

— C'est entendu, dit Jeff. Tout le monde part, sauf moi. Je suis venu avec ma propre voiture, je suis un ami de Marilyn. Le reste me regarde.

— Je ne sais pas si nous pouvons courir ce risque, intervint David.

— Si. J'ai l'habitude.

Sans attendre d'autre réponse, il ferma la porte derrière les derniers policiers. Le téléphone sonna de nouveau.

Sue se précipita mais Jeff la retint.

— Emmenez votre sœur, Marilyn.

— Viens.

Elle la fit monter dans sa chambre, s'efforçant au

calme, mais tenaillée par l'envie de sangloter, comme sa sœur.

— Suivons les instructions de Jeff, murmura-t-elle à l'oreille de Sue.

— Décrochez ! ordonna Jeff à David.

Il avait branché un magnétophone sur le récepteur de l'entrée.

— Bien, dit la voix. Je vois qu'ils sont partis.

— Qui est à l'appareil ?

— Quelle impression cela fait-il de se trouver de l'autre côté de la barrière, juge Linton ?

— Où est Bobby ? Comment va-t-il ?

— Mack Joplin. Vous souvenez-vous de moi, juge Linton ? Ma femme a enlevé mon gosse et s'est enfuie. Mais vous allez m'aider à les récupérer, maintenant.

— Vous ne savez pas ce que vous dites. Ramenez-moi Bobby et je verrai ce que je puis faire pour vous.

— Non, vous ferez ce que je vous dis, pensez à votre fils. Restez près du téléphone, je rappellerai plus tard. Et pas de policiers, surtout !

Il raccrocha.

— Au moins, nous avons déjà l'identité du ravisseur, observa Jeff.

Il téléphona immédiatement au F.B.I. pour expliquer l'affaire à ses supérieurs.

— Mettez cette ligne sur écoute, recommanda-t-il. Non, il faut mieux que je reste seul ici. Je crois qu'il surveille la maison, il ne se trouve sans doute pas loin. Tant qu'il tient l'enfant, nous ne bougeons pas.

Il raccrocha et se tourna vers David.

— Dites-moi ce que vous savez sur cet homme.

— Vol à main armée. Condamné, puis relâché au bout de cinq ans pour bonne conduite.

— Je vois.

Le silence tomba sur la pièce. On n'entendait plus que les sanglots de Sue à l'étage supérieur.

Jeff demanda qu'on appelle le médecin pour lui administrer un calmant. Il se posta ensuite devant la fenêtre du living, regardant les maisons alentour. Un camion blanc s'arrêta de l'autre côté de la rue. Il portait une inscription en lettres rouges : Pizzas Pals — Livraisons à domicile.

Lorsque les livreurs sonnèrent à la porte d'entrée, Jeff comprit qu'il s'agissait de collègues du F.B.I.

— C'est le meilleur moyen de surveiller discrètement notre homme, expliqua l'un des agents. Tout l'équipement d'enregistrement se trouve dans le camion.

— Parfait, allez-y ; nous restons en contact par talkie-walkie.

Sous sédatif, Sue s'était endormie ; dans le living, Marilyn priait intérieurement : faites que tout se passe bien, qu'il n'arrive rien à l'enfant...

Elle ouvrit les yeux en entendant Jeff s'approcher d'elle.

— Ça va ? demanda-t-il.

— Du nouveau ?

Il secoua la tête.

— Rien pour le moment.

— Jeff ?

— Oui.

Elle s'était levée.

— Je sais que ce n'est pas le moment, vous avez beaucoup à faire et nous devrions ne penser qu'à Bobby, mais j'aimerais que vous me preniez dans vos bras.

— Rien ne saurait me faire plus plaisir.

Il frotta sa joue contre sa tempe.

— Vous avez besoin d'être rassurée, c'est normal. Je ne puis pas grand-chose pour vous, Marilyn, mais je vous promets de faire de mon mieux.

— Je vous aime, Jeff. Je vous aime tant !

Il lui prit le visage dans ses mains et l'embrassa avec une sorte de désespoir.

Ils se séparèrent au moment où le téléphone sonnait. Jeff se précipita dans l'entrée et David décrocha.

— Je sais que vous avez un avion, dit Joplin. Alors vous allez chercher ma femme et mon gosse à Roanoke. Elle s'appelle Beltine. Je vous attends à l'aéroport à cinq heures du matin.

Il raccrocha.

— Beltine, à Roanoke, dit le juge. Il faut que je prenne contact avec eux.

— N'en faites rien. A supposer que cette femme accepte, par extraordinaire, de vous suivre, il n'est pas question de lui faire courir un tel risque.

— Et mon fils, alors ?

— Je m'en charge. Laissez-moi m'occuper de

tout, ce sera le meilleur moyen de le retrouver sain et sauf, croyez-moi.

— Il faut l'écouter, murmura Marilyn. C'est un expert.

— Soit ! Je veillerai sur ma femme, pendant ce temps, acquiesça David en baissant la tête.

— Merci, lança Jeff à l'adresse de Marilyn.

— Merci pour quoi ?

— Pour la confiance que vous me témoignez.

— J'ai toujours eu confiance en vous, Jeff, dès la première seconde où je vous ai vu. C'est vous qui ne croyez pas en moi.

— Quelle idée saugrenue !

— Vraiment ? Nous verrons cela plus tard. Si vous le souhaitez encore quand tout ceci sera terminé.

Elle le contempla un long moment puis se rendit dans la cuisine pour y préparer du café.

Jeff haussa les épaules et se brancha sur sa radio pour joindre ses bureaux.

— Le plus urgent est de prendre contact avec la femme de Joplin à Roanoke. Puis nous lui substituerons un agent féminin. Quant à moi, je me ferai passer pour le juge Linton. Nous sommes à peu près de la même taille.

Dès lors, il ne restait plus qu'à attendre. Le rendez-vous était à l'aéroport, à cinq heures du matin. Jeff consulta sa montre. Minuit et demi. Largement le temps d'élaborer un plan. Il s'adossa aux coussins et ferma les yeux pour mieux réfléchir.

Il s'assoupit, se réveilla en entendant des pas tout proches, porta instinctivement la main à son arme.

— Ne tirez pas ! dit Marilyn. Mon café n'est tout de même pas si mauvais !

— C'est bien là mon problème, soupira-t-il. Tout ce qui vient de vous me paraît délicieux, même votre café pourtant si amer. J'en arrive à me demander si vous n'y mélangez pas un aphrodisiaque.

Elle s'assit près de lui et le laissa passer un bras autour de son cou.

— Quand cette nuit s'achèvera-t-elle ?

Quand Bobby reviendra-t-il ? Mais elle avait trop peur pour poser franchement cette question.

— Nous préparons la rencontre de l'aéroport.

— Je croyais que c'était trop dangereux ?

— Aussi y enverrons-nous des agents. Dans l'obscurité, avec les vêtements adéquats, Joplin ne verra pas tout de suite la différence.

Il s'étira et se leva.

— Au fait, il faudrait que David me prête un de ses costumes.

— Vous prenez sa place ? Mais si Joplin s'en aperçoit ?...

Elle ne parvenait pas à dissimuler sa frayeur.

— Mon rôle consistera précisément à le berner. Ne vous inquiétez pas, Marilyn. Tout l'aéroport sera bouclé, comme l'est déjà ce quartier. Nous savons qu'il ne se trouve pas loin, peut-être pourrons-nous l'arrêter avant le rendez-vous.

Quatre heures plus tard, Jeff et Paula Stamford, qui devait personnifier la femme de Joplin, roulaient vers l'aéroport, suivis de loin par un break où avaient pris place Marilyn, David et deux autres agents.

La vie de deux êtres que Marilyn aimait allait se jouer dans l'heure qui suivrait : celle de Jeff et celle de Bobby. Elle était rassurée pour l'enfant : il ne pouvait être en de meilleures mains.

Ils stationnèrent longtemps à proximité de la piste d'envol, d'où ils apercevaient l'avion de David et l'entrée de l'aérogare.

Il faisait très froid, le moteur du break était coupé pour ne pas attirer l'attention. Soudain la jeune femme tressaillit :

— Les voilà !

Sortant du hall éclairé, elle venait d'apercevoir Jeff et Paula qui se dirigeaient vers deux silhouettes émergeant de l'ombre sur la piste : un adulte et un enfant.

Il était exactement cinq heures.

Jeff s'avançait seul, laissant Paula à l'écart. Il avait enfoncé son chapeau et relevé son col.

Joplin parut s'agiter et le cœur de la jeune femme se mit à battre quand elle crut le voir pointer une arme sur l'agent du F.B.I.

Ils devaient négocier car plus personne ne bougeait, mais elle ne put entendre ce qu'ils disaient. Jeff fit un geste en direction de Paula qui se mit à avancer lentement.

Et tout se passa soudain très vite ; l'enfant s'approcha de Jeff.

— Cours, Bobby, cours ! hurla-t-il.

Le garçonnet détala sur ses petites jambes. Alors, Joplin leva son arme. Jeff bondit, s'interposa. Un coup de feu claqua ; Marilyn vit Jeff tournoyer sur lui-même avant de s'effondrer sur le sol.

13

Marilyn regarda pour la dixième fois la pendule de la salle d'attente de l'hôpital. Ces aiguilles n'avançaient donc pas ! Les minutes semblaient s'écouler au rythme des heures.

Les agents s'étaient jetés sur Joplin mais pas assez vite pour l'empêcher de tirer sur l'enfant. Seul Jeff avait eu le réflexe de lui faire un rempart de son corps. La balle s'était logée à quelques millimètres de son cœur et il se trouvait depuis plus de deux heures dans la salle d'opération. S'il mourait, elle en porterait la responsabilité car c'était elle qui l'avait appelé au secours.

Il avait sauvé la vie de son neveu, comme elle l'espérait, mais peut-être au prix de la sienne.

Epuisée, elle finit par fermer les yeux sur sa banquette de vinyle au rembourrage froid, froid comme la mort, songeait-elle.

— Marilyn ?

Paula Stamford se tenait debout devant elle. Elle et d'autres agents avaient accompagné Jeff en ambulance et, maintenant, ils montaient la garde jusqu'à son réveil.

— Je vous emmène prendre un café ? proposa-elle.

Marilyn jeta un coup d'œil aux portes de la salle d'opération. Elle voulait attendre des nouvelles de l'état de Jeff.

— Steve viendra nous avertir s'il apprend quelque chose.

Elles prirent l'ascenseur pour rejoindre la cafétéria au premier et s'installèrent à une petite table en Formica, devant des gobelets en plastique, remplis de café chaud. Une atmosphère désespérément stérile, comme dans tout le reste de l'hôpital, même dans les lieux où cela ne s'imposait pas, tels que cafétérias et salles d'attente, où seule une plante verte et quelques posters tentaient d'égayer les pièces.

— Vous avez rencontré Jeff à Hawaii, dit Paula en allumant une cigarette. Vous ne le connaissez donc pas depuis longtemps.

— Seulement quelques mois, mais j'ai l'impression que c'est depuis toujours.

Elle ne pouvait plus envisager sa vie sans lui. Au fond d'elle-même, elle n'y avait jamais vraiment renoncé, persuadée que leurs différends finiraient par s'arranger. Maintenant ils lui paraissaient bien futile face à l'éventualité de sa mort...

— Je travaille avec lui depuis des années, reprit Paula, et nous avons été pratiquement élevés ensemble, dans la réserve...

— Jeff a vécu dans une réserve ?

Elle fronça les sourcils. N'avait-il pas parlé d'un père pilote d'essai ?

— Au début, il n'y venait que pour les vacances, mais, à la mort de son père, il a été pris en charge par son grand-père.

— Un Indien navajo, alors ?

Il n'avait pas évoqué cet aspect de sa vie ; mais quel choc, en effet, pour un enfant, de passer de la vie sophistiquée des garnisons d'Europe au semi-campement des réserves indiennes.

— Jeff n'était pas comme les autres enfants, poursuivait Paula ; par exemple, il ne craignait pas de se dresser contre tous les autres pour me défendre quand j'avais cinq ans. J'allais souvent goûter chez son grand-père.

Elle écrasa sa cigarette.

— Un homme remarquable. Il n'avait pas mérité de mourir comme ça.

— Comment est-il mort ?

— C'était il y a quinze ans ; Jeff en avait vingt-deux, il venait de terminer ses études. A son retour dans la tribu, il est arrivé en plein conflit entre les vieux sages — dont son grand-père — et les plus jeunes, partisans de la force et des méthodes radicales. Un moment, il a pris fait et cause pour les jeunes révoltés, et son grand-père lui a déclaré que jamais il n'accepterait de voir le monde régi par les forces du mal et de la violence. Il ne se soumettrait pas, ne fuirait pas, n'abandonnerait pas. Quelques jours plus tard, on l'a retrouvé tué d'une balle dans le dos.

Comment ne pas comprendre, dès lors, son fatalisme ? Pourquoi avait-il fallu que ce soit justement lui qui reçût la balle ? Pourquoi lui avait-elle téléphoné, si ce n'était pour l'exposer, lui, à la place de l'enfant ? Toute sa vie elle se reprocherait sa responsabilité s'il ne se remettait pas de cette blessure...

Elle déchirait machinalement sa serviette en papier, la réduisait en confettis. Elle releva la tête à l'approche de Steve. Sa gorge se serra. Ces nouvelles tant attendues, elle redoutait maintenant de les apprendre.

— Ils ont extrait la balle, annonça Steve. Jeff est en salle de réanimation. Ils l'y garderont peut-être plusieurs jours. Sa tête a durement heurté le sol et ils craignent un traumatisme. Nous n'avons plus rien à faire ici maintenant.

Il tendit la main à Marilyn.

— Venez, je vous ramène chez le juge Linton. Ils vous attendent.

Elle savait qu'elle ne pourrait voir Jeff avant le soir, aussi le suivit-elle sans regimber. Le soleil se levait et l'équipe du matin venait remplacer les infirmiers de garde. La vie continuait, songea Marilyn, du moins pour les autres.

Elle se sentait incapable de travailler. Le mieux était de téléphoner à Ned pour lui demander un congé illimité. Tant que Jeff resterait à l'hôpital, elle voulait se trouver à ses côtés. Elle lui expliquerait ce qui s'était passé, espérant qu'il comprendrait.

Ce fut une Ingrid presque souriante qui lui ouvrit. Elle l'introduisit aussitôt dans la cuisine où Bobby et ses parents achevaient de se restaurer. La jeune femme serra l'enfant dans ses bras.

Le gamin ne disait rien, comprenant confusément que des choses graves se passaient.

— Comment va Jeff ? demanda David.

Marilyn répéta les paroles de Steve puis s'excusa et monta dans sa chambre. Elle téléphona aussitôt à Ned Folin qui parut fort bien saisir la situation. Puis elle se déshabilla et prit une douche. Elle se détendit sous la caresse de l'eau tiède, ses larmes se mirent à couler, et elle s'effondra en pleurs dans la cabine carrelée.

En se séchant, elle ne sentait plus que sa fatigue, soulagée à l'idée que Jeff avait supporté l'opération. Plus que jamais, elle sentait qu'ils appartenaient l'un à l'autre et elle mettrait toute son énergie, toute sa vitalité au service de l'homme qu'elle aimait pour l'aider à recouvrer au plus vite sa santé.

Elle se glissa dans ses couvertures en se demandant comment lui faire comprendre ce qu'elle-même ressentait avec une telle évidence. Comment lui faire admettre qu'elle n'était rien sans lui, et lui, rien sans elle ? N'avait-elle pas déjà utilisé tous les arguments possibles ?

Elle ferma les yeux et se pelotonna sur elle-même, s'efforçant de ne plus penser à rien. Elle s'était tant inquiétée pour Bobby, et ensuite pour Jeff. Maintenant tous deux s'en étaient sortis. Tout irait bien. Elle s'endormit sur cette idée et s'éveilla en sursaut deux heures plus tard, incapable de s'assoupir trop longtemps ou trop profondément.

Elle se leva immédiatement et revêtit les habits que Sue avait préparés pour elle. Le pantalon beige flottait un peu autour de sa taille, ce qui l'étonna car les deux sœurs avaient toujours été de la même taille. Aurait-elle maigri sans s'en apercevoir ? A l'occasion elle vérifierait mais, pour l'instant, l'état de Jeff passait avant tout.

Elle téléphona à l'hôpital, demanda la salle de réanimation. Au début, l'infirmière refusa de donner des renseignements sur l'état d'un agent du F.B.I. Comme elle insistait, elle lui dit de patienter.

— Mademoiselle Fancher ? demanda alors une voix d'homme.

— Oui ?

Elle crut soudain défaillir d'angoisse. Que se passait-il ?

— Ici Elliot Hodges. Nous nous sommes vus chez le juge Linton cette nuit.

— Oui, je me rappelle. Comment va Jeff ?

— Il s'est réveillé. Il est hors de danger s'il accepte de se reposer et de rester calme. Mais vous le connaissez.

— Oui. Peut-il recevoir des visites ?

— Très peu. Juste les enquêteurs et sa proche famille mais il vous a réclamée. Je vais demander au médecin si vous pouvez venir. Je vous rappelle pour vous tenir au courant.

Elle dut attendre jusqu'au lendemain soir avant d'être autorisée à pénétrer dans sa chambre et les larmes lui vinrent aux yeux quand elle le découvrit enfin, livide dans cet univers tout blanc, immobile sur son lit, un bras couvert de bandages.

Il paraissait sommeiller. On l'avait avertie qu'il était sous sédatif et ne réagirait peut-être pas beaucoup, mais elle se serait contentée de le regarder dormir.

— Bonjour, Marilyn !

— Jeff !

Elle prit sa main valide.

— Je ne voulais pas vous réveiller. Ne vous fatiguez pas à cause de moi.

Il était tellement pâle. Elle porta sa paume à sa joue comme pour lui demander une caresse.

— Oh, Jeff ! Je me suis fait tellement de souci pour vous !

— Tout va bien maintenant.

Il lui caressa la joue, puis les lèvres.

— Je ne veux pas que vous vous inquiétiez pour moi.

— Vous ne pourrez m'en empêcher.

— Je le regrette. Vous avez mauvaise mine et je vous trouve amaigrie.

Elle sourit.

— C'est vous qui me parlez de ma santé !

— Je suis sérieux. Regardez-moi ces vêtements, ils sont trop larges pour vous !

— Ils appartiennent à Sue.

— Vous m'aviez pourtant dit qu'ils vous allaient.

— Elle a dû grossir...

— Je n'ai pas remarqué.

— Je sais. Sue est toujours parfaite.

Il prit un air contrit.

— Ce n'est pas ce que je voulais dire ; venez plus près de moi.

— Volontiers, j'ai tellement besoin de vous.

Elle lui embrassa le poignet.

— Vous avez surtout besoin d'un peu de sens commun, ma chérie.

— De toute façon, je n'ai jamais aimé que l'extraordinaire. J'ai toujours été attirée par les spécimens uniques, irremplaçables.

Il attrapa une de ses mèches cuivrées, l'enroula autour de ses doigts.

— Des anémones roses, des chats couleur de nacre aux yeux saphir.

— Un homme surgi des mers sous une pluie de balles et qui risque sa vie pour sauver celle d'un petit garçon.

— Curieux choix. Vous aimez les complications.

— Pas du tout.

— Si, c'est évident.

— Et vous voyez toujours les évidences !

— Généralement.

— Alors, pourquoi ne pas voir où est votre bonheur, pourquoi me rejeter ?

La phrase lui était venue, tout simplement, tout naturellement. Ils avaient besoin l'un de l'autre, c'était tellement clair ! Marilyn gardait les yeux baissés sur le drap qu'elle pliait en accordéon du bout des doigts.

— Je ne vous rejette pas. Quand bien même je le voudrais, je ne le pourrais pas.

Elle avait l'air si faible, si vulnérable, en ce moment.

— C'est vous qui devriez être au lit.

Elle hocha la tête.

— Avec moi, ajouta-t-il. Approchez encore.

— Je ne peux pas, Jeff ! Voyons !

— Je vous veux près de moi.

— Et si quelqu'un entrait ?

— Nous lui dirions que vous me soignez.

Il lui caressait maintenant la nuque, descendait le long de son dos.

— Et il vous répondrait de vous en tenir à vos médicaments.

Elle se pencha pour lui poser un baiser sur le front.

Quand on frappa à la porte, elle eut juste le temps de se redresser.

— Je sais ce qu'il manque à cet hôpital, marmonna Jeff ; c'est un écriteau : « Ne pas déranger ! »

L'homme qui venait d'entrer lui adressa un clin d'œil.

— Si tu leur en demandes un, ils te présenteront

d'abord la note. Je pensais que tu serais heureux de me voir. Je t'ai apporté des fleurs.

Il fouilla dans ses poches, en sortit trois œillets rouges, puis deux blancs de chacune de ses manches.

— Tiens.

Il tendit le bouquet improvisé à Jeff.

— Merci, Roger, mais j'espérais bien, au moins ici, échapper à tes tours !

— Mon meilleur public est celui qui ne peut pas se défendre !

— Alors trouve-moi une astuce pour me sortir d'ici. Je t'assure que j'apprécierai. Allons, montre-nous ce que tu sais faire !

— Pourquoi tiens-tu tant à rentrer chez toi ?

Il se tourna en riant vers Marilyn.

— Ne me dis pas que tu es attendu !

— Tu n'y es pas du tout. Voici la belle-sœur du juge Linton, Mlle Fancher. Marilyn, je vous présente Roger Gorman, notre chargé de cours, mais il passe le plus clair de son temps à exercer ce qu'il croit être sans doute des dons de presdigitation.

— Je lui ai appris tout ce qu'il sait et voilà comment il me remercie !

Marilyn se mit à rire et lui tendit la main.

— Très heureuse de vous connaître. Quant à moi, je dois m'en aller, maintenant.

Elle ramassa son sac.

— A ce soir, Jeff !

Roger attendit qu'elle fût partie pour s'asseoir auprès de son collègue.

— Sympathique, cette jeune femme.

— Plus que cela ! Mais ce n'est pas pour elle que tu es venu me voir.

— En un sens, si, peut-être. J'ai une proposition à te faire et je commence à croire que je ne pouvais pas mieux tomber...

Marilyn venait le voir chaque jour, les bras chargés de paquets de bonbons, de fleurs ou de magazines. Ils jouaient aux échecs, bavardaient de mille choses : Hawaii, leurs métiers, les livres qu'ils lisaient, l'avenir de Muffin laissée aux soins de la gardienne de la maison. Le seul sujet qu'ils n'abordèrent pas fut celui qui leur tenait réellement à cœur : eux. Jeff savait qu'elle n'en parlerait pas la première mais il ne voulait rien dire avant la réponse de Roger.

Après dix jours d'hospitalisation, il put enfin sortir. Mais il ne devait reprendre aucune activité avant un mois.

Marilyn était là lorsque le chirurgien lui demanda où il passerait sa convalescence.

— J'ai une maison en Virginie.

Il décrivit le coin de campagne tranquille et entouré de bois où se trouvait sa propriété.

— Quelqu'un s'occupera de vous ?

— Non. J'ai l'habitude de vivre seul.

Le chirurgien secoua la tête.

— Il n'en est pas question. Vous n'êtes pas en

état de conduire une voiture, encore moins d'assumer votre vie quotidienne. Je veux que vous restiez allongé le plus possible.

Marilyn lui posa doucement une main sur l'épaule, cherchant les mots qui ne le froisseraient pas :

— Jeff, laissez-moi venir avec vous !

14

La maison de Jeff, pierre de taille et toiture d'ardoise, datant du XIXe siècle, apparut au détour d'un chemin pierreux. Elle faisait autrefois partie des dépendances d'une grande plantation et une véritable forêt la séparait maintenant de la demeure principale.

— Il y a un ruisseau au fond du jardin, expliqua Jeff. Il aboutit à un lac qui ne m'appartient pas mais je peux y faire du bateau et y pêcher.

— Que c'est agréable ! s'exclama Marilyn.

Elle était séduite par cette ambiance fin de siècle, ce dépaysement qui la transportait à mille lieux de la vie citadine.

— On se croirait dans un conte de fées !

— Moi, je me suis cru tout d'abord dans un film d'horreur ! rectifia Jeff. Tout tombait en ruine quand j'ai acheté cette propriété, il y a deux ans. Depuis, elle a englouti mes économies à une vitesse éclair.

— Vous n'en paraissez pas trop affecté, avouez-le !

Il semblait plutôt éclater de fierté et son air faussement bougon amusa Marilyn.

— C'est la première maison qui m'appartienne vraiment. J'ai tout de suite eu le coup de foudre. Venez, je vais vous faire visiter.

Il sortit de la voiture et se dirigea vers le coffre.

— Profitons-en pour rentrer les bagages.

— Je les porterai ! Vous ne devez faire aucun effort. C'est pour cela que je suis là.

— Vraiment ?

Il croisa les bras et la regarda faire.

— Quoi d'autre ? demanda-t-elle en sortant les valises.

— Oh ! Je pourrais vous citer une ou deux autres raisons...

— Vous devez vous reposer, je vous le rappelle !

Elle lui adressa un clin d'œil et sourit au soleil qui jouait entre les branches puis se rendit d'un pas décidé vers l'entrée de la maison.

Pour ne pas être en reste, il prit la mallette de toilette de son bras valide et la suivit en grommelant d'une voix exagérément contrariée :

— C'est ce que nous verrons !

Il ouvrit la porte. Une entrée de chêne clair menait à un salon pourvu d'une grande cheminée de pierre et de portes-fenêtres qui donnaient sur le ruisseau.

— L'unique chambre meublée se trouve là, annonça-t-il en l'amenant vers une petite pièce à l'autre bout du couloir.

Les murs étaient recouverts de toile bleue, qui

faisait ressortir les meubles de noyer et la cheminée rouge brique.

— Je n'ai pas encore pu m'occuper de l'étage, expliqua-t-il. Ce sera pour plus tard.

Marilyn demeurait dans l'encadrement de la porte, regardant le lit. Elle avait proposé à Jeff de l'accompagner ici, mais sans envisager de relations intimes. Quand elle s'aperçut qu'il la dévisageait, elle détourna les yeux.

— Quelque chose ne va pas? demanda-t-il en s'approchant d'elle.

Il lui caressa le menton en souriant. Pour lui, les choses étaient simples. Mais pas pour elle. Elle ne voulait pas qu'il la considère comme à sa disposition, toujours docile. Elle se rebellait à cette idée.

— Je ferais mieux de dormir sur le canapé, dit-elle en se détournant.

— Le canapé?

Il la considérait d'un air moqueur. Evidemment, elle pouvait difficilement jouer les infirmières effarouchées...

— Ce serait mieux pour vous... avec votre blessure... si je faisais un faux mouvement en dormant.

— Je prends le risque.

Elle ferma les yeux. Si elle continuait de le regarder, toutes ses résolutions s'envoleraient. Pourquoi rendait-il les choses si difficiles?

— Ecoutez, reprit-elle. Je ne suis pas venue pour dormir avec vous, et vous le savez pertinemment!

— Ni pour vous occuper du ménage et des repas. D'ailleurs vous ne savez pas faire la cuisine!

Elle sourit.

— Non, bien sûr ! Mais enfin, il y a un peu de tout cela...

— Juste un peu ?

— Pour le moment, oui.

Il hocha la tête. Lui non plus ne pouvait s'avancer beaucoup en ce moment ; il devait attendre que Roger se manifestât. Et, la fatigue pesant sur eux, il jugea plus sage de remettre toute discussion au lendemain.

— C'est bon, acquiesça-t-il les mains dans les poches, vous prenez le lit et moi le canapé.

— Jeff, je vous en prie !

Il était déjà sorti. Elle le rattrapa dans la cuisine.

— Non, Jeff !

— Nous avons encore beaucoup à faire, dit-il en allumant le thermostat. La voiture n'est pas déchargée et la nuit va tomber.

Cette fois il ne protesta pas quand elle lui interdit de ressortir.

La cuisine était une grande pièce carrée aux meubles de chêne clair et à l'immense cheminée de brique. Une fenêtre à petits carreaux donnait sur le bois. Au milieu trônait une lourde table entourée de chaises rustiques, d'un fauteuil à bascule et d'une banquette.

Le temps que Marilyn apporte les derniers bagages, Jeff avait allumé un feu qui crépitait gaiement.

— Chaque fois que je viens ici, expliqua-t-il, je téléphone à une femme du village qui vient tout nettoyer, met des bûches dans les cheminées et apporte des provisions pour les deux premiers jours.

Il ouvrit le réfrigérateur.

— Puis-je vous demander de vous occuper de la salade pendant que je fais cuire des légumes ?

— Vous devez vous reposer !

— Et ne rien manger ?

Elle regarda désespérément par la fenêtre la campagne maintenant plongée dans la nuit. Je n'aurais jamais dû venir, songea-t-elle. Comment pourrais-je m'occuper de Jeff ? Il lui faut une femme d'intérieur, quelqu'un comme Sue.

Il s'approcha d'elle.

— Regardez, murmura-t-il. Au début, j'avais planté un potager, mais mes amis de la forêt sont venus le dévorer, alors je le leur laisse et j'achète mes légumes.

Un daim s'était arrêté à quelques pas de la maison. Quel homme étrange, songea-t-elle, qui vit au milieu des pires dangers et se préoccupe de la faim d'animaux sauvages ! Elle ne l'en aima que plus.

— Ecoutez. Vous allez vous asseoir et me dire comment faire, d'accord ?

Le dîner lui parut infiniment facile à préparer et meilleur qu'aucun autre.

— Je vais préparer du café, dit-elle en se levant, et pour cela je n'aurai pas besoin de vos conseils...

— Parfait. Pendant ce temps, je donnerai quelques coups de téléphone. Je serai dans la chambre.

Elle lava la vaisselle, incapable de savoir si elle se sentait gaie ou triste, heureuse d'avoir partagé ce repas simple et délicieux, mais inquiète de l'avenir indécis qui l'attendait. Elle adorait déjà cette maison, elle eût tant aimé s'y sentir chez elle, mais peut-être prenait-elle la suite d'innombrables conquêtes...

Elle prépara un plateau pour le café et l'apporta dans la chambre.

Il avait déplié le dessus-de-lit et s'était allongé en travers du matelas. Elle le regarda avec attendrissement. Il dormait, le téléphone encore à côté de lui. Elle rangea l'appareil sur la table de nuit. Elle lui ôta ses chaussures et le couvrit avec le dessus-de-lit. En le déshabillant, elle risquerait de l'éveiller.

Puis elle prit ses bagages et se rendit dans le salon. Elle trouva des draps et des couvertures dans l'armoire de l'entrée, enfila sa chemise de flanelle pour se protéger du froid et éteignit la lumière.

Elle s'éveilla sous les rayons d'un tendre soleil d'automne, chercha un instant où elle se trouvait avant de reconnaître la couverture navajo, aux couleurs éclatantes, dans laquelle elle s'était enroulée. Elle s'étira lentement, un peu courbatue par son lit de fortune.

Les oiseaux gazouillaient dans le bois tout proche. Elle entendit des pas sur le gravier et un grattement contre la porte-fenêtre. Jeff passa la tête. Il avait le visage reposé et elle le trouva d'humeur enjouée.

Visiblement, il revivait dans ces bois et cette maison un peu retirée.

Elle rangea en soupirant draps et couverture avant de prendre sa douche. Une fois habillée, elle sentit un délicieux arôme de café emplir la maison et se précipita dans la cuisine.

Il se tenait devant l'évier, regardant par la fenêtre. Quand il l'entendit arriver, il se tourna, sourit et lui tendit une tasse.

— Je n'ai pas oublié, dit-il.

— Merci.

Elle s'assit devant la table.

— Je dois reconnaître que vous êtes beaucoup plus à l'aise que moi dans une cuisine.

— Parfait, dit-il en s'installant à côté d'elle. Alors vous ne mettrez plus les pieds ici, quant au reste de la maison, faites votre choix. Le living vous convient-il ?

— Il y a beaucoup à redire sur la vue ; je vous ai aperçu à mon réveil et...

— Je me sentais un peu seul. Vous ne pouvez pas savoir le nombre d'amis que l'on peut se faire avec une poignée de graines. Dommage que vous n'en soyez pas friande.

— Comment voulez-vous vos œufs ? demanda-t-elle en se levant.

Elle était là pour s'occuper de lui et il lui apprit à préparer les œufs brouillés. Chaque plat réussi la mettait en joie. La cuisine devenait simple et amusante comme un jeu.

Elle lui en fit la remarque au cours de leur promenade dans les bois. Le soleil réchauffait doucement les branches de pins et ils foulaient un sol tapissé de feuilles jaunes et rouges, de chêne et d'érable.

Un doux silence envahissait les sous-bois, ponctué par le pépiement des oiseaux et le froissement des feuilles mortes sous leurs pas. Marilyn regardait le ciel bleu, sans un nuage. Ils étaient seuls au monde, tous les deux, et elle aurait voulu que le temps fût suspendu...

Elle leva la tête en riant.

— Aimez-vous vous rouler dans les feuilles ? demanda-t-elle à brûle-pourpoint.

— Pardon ?

— Voilà votre problème, Jeff Thompson : vous ne savez plus vous amuser comme un enfant.

Elle prit une pleine poignée de feuilles sèches et la lui lança en plein visage.

— Comme vous êtes blessé, je vais jouer très, très gentiment...

Il l'attrapa par la taille.

— Méfiez-vous, vous risquez d'éveiller le grand méchant loup !

Elle se dégagea en poussant un cri de joie.

— Vous êtes là uniquement pour vous amuser !

— Exact.

Il l'emprisonna de nouveau dans son bras valide, l'attira contre lui.

— Et en ce moment je joue... à mon jeu à moi...

Un jeu, songea-t-elle. Voilà qui le résumait parfaitement, hélas ! Et elle en sortirait toujours perdante.

Elle contempla ce visage éperdu de désir. Il serait si bon de se jeter à son cou, de l'embrasser, de se laisser attirer dans le piège de sa tendresse et puis... et puis quoi ? Elle s'était déjà brûlé les ailes à s'abandonner ainsi aux fugitives passions de Jeff.

— Vous allez vous fatiguer, dit-elle soudain. D'ailleurs, je crois qu'il va pleuvoir. Il vaut mieux rentrer.

Il plut, effectivement. Deux heures plus tard, il tombait des cordes. Marilyn passa l'après-midi à apprendre à faire la sauce des spaghettis.

En débarrassant le couvert, après le dîner, il vint lui caresser les épaules tandis qu'elle s'apprêtait à laver la vaisselle.

— Restez avec moi cette nuit, demanda-t-il.

Il passa son bras autour de sa taille, frotta sa joue contre ses cheveux.

Cette fois, elle abandonna tout, lavage, nettoyage, rangement, pour se laisser entraîner dans la chambre.

Seul un rayon de lune intermittent éclairait la petite pièce. La pluie avait cessé mais on sentait encore l'humidité ambiante.

— Avez-vous jamais dormi sous un édredon de plumes d'oie ? demanda-t-il en déboutonnant son cardigan. C'est la couverture la plus chaude qui existe, surtout lorsqu'on la partage avec quelqu'un.

Elle se déshabilla devant lui, suivant les mouvements qu'il esquissait.

— Vous verrez, vous n'aurez pas besoin du moindre vêtement là-dessous.

— Je vous en prie, Jeff !

— Je sais, ma chérie.

Chacune de ses caresses était comme un coup de soleil : trop brûlante, trop attirante.

Elle se crispa.

— Je ne veux pas jouer à votre jeu, Jeff.

— Je ne joue pas, je suis sérieux...

— Mais...

Il l'embrassa pour l'empêcher de parler et l'amena vers le lit.

— Maintenant, dit-il en souriant, vous allez vraiment devoir m'aider, car je suis incapable de me déshabiller seul. Et comme je suis encore fragile, il faudra être très douce.

La pluie tombait à nouveau, par rafales, l'obscurité était maintenant totale, mais elle croyait voir ses muscles qui se tendaient au contact de ses mains, son corps puissant qui s'étirait et s'abandonnait à ses caresses. Elle entendait sa respiration s'approfondir et s'accélérer et, soudain, il l'embrassa.

Ils glissèrent sous l'édredon, leurs corps enlacés, tandis que la pluie battait les carreaux.

Elle prenait garde à ne pas le brusquer, sentant parfois les bandages de sa poitrine passer sous sa paume, mais ce torse restait le même et la blessure guérirait vite, pour ne laisser qu'une petite cicatrice blanche ; une de plus.

— Je vous aime, Marilyn, murmura-t-il en un souffle.

Il cacha son visage contre son épaule, l'embrassant sans cesser de répéter :

— Quoi qu'il arrive, rappelez-vous que je vous aimerai toujours.

Marilyn tourna la tête sur l'oreiller, dans la direction du bruit qui l'avait réveillée. La porte de la salle de bains se refermait. Elle vit la place vide à côté d'elle et sourit. Il avait dit qu'il l'aimait, qu'il l'aimerait toujours. Cette maison était effectivement digne d'un conte de fées.

Elle tenait tant à lui qu'elle pourrait facilement se passer d'enfants si c'était le prix à payer pour le garder. Elle prendrait rendez-vous avec le Dr Carrow pour lui notifier sa décision.

Le téléphone sonna et elle décrocha pour entendre la voix joyeuse de Roger.

— Jeff est sous la douche, expliqua-t-elle, je vais l'avertir.

— Ne le dérangez pas. Demandez-lui de me rappeler. Il s'agit du travail... sa prochaine mission.

Elle raccrocha et resta étendue, les yeux au plafond. On ne lui laissait même pas le temps de récupérer... Son cœur se serra. Elle ne voulait pas qu'il courût de nouveaux dangers, qu'il disparût encore pour Dieu sait où...

La porte de la salle de bains s'ouvrit comme elle se décidait à se lever.

— Bonjour, dit Jeff.

Il passa la main dans ses cheveux mouillés. Il portait une serviette nouée, comme à l'habitude, sur ses reins, révélant son torse musclé, mais elle ne vit que les cicatrices et les bandages.

— Je suis désolé de vous avoir réveillée.

— Ce n'est pas grave. Je ne comptais pas rester couchée toute la journée.

Elle eut un instant la tentation de taire l'appel de Roger, de rester là, avec lui, loin du reste du monde, mais rejeta vite cette idée, la sachant illusoire.

— Roger a téléphoné. Pour votre prochaine mission. Je lui ai dit que vous le rappelleriez.

— Ma prochaine mission...

Il sourit.

— C'est ce que j'attendais.

Il s'assit devant l'appareil, composa un numéro.

Marilyn prit son jean et se rendit dans le living à la recherche de vêtements propres. Le soulagement de Jeff à l'idée d'une nouvelle mission ne lui avait pas échappé, balayant ses derniers espoirs.

Elle s'habilla, les yeux perdus dans la contemplation de la campagne mouillée. Une bruine fine tombait encore et il lui semblait que les gouttelettes glacées la pénétraient jusqu'au cœur.

Elle enfila un poncho et sortit. Soudain la maison lui paraissait étouffante, et elle voulait échapper à Jeff, à la conversation qu'il devait avoir en ce moment.

Il faisait froid dehors, plus froid qu'elle ne l'avait imaginé. La pluie lui fouetta le visage. Elle frissonna.

— Marilyn.

Il se tenait sur le seuil de la cuisine.

— Que faites-vous ?

— Je prenais l'air.

— Vous allez attraper froid. Venez.

Elle n'avait aucune envie de l'entendre lui parler de ses projets, de sa décision de quitter cette maison.

Pourtant elle rentra. A quoi bon le fâcher ? Il ne lui avait rien promis, seulement de l'aimer, mais de loin, de si loin...

Il l'arrêta au passage, l'aida à se débarrasser de son poncho.

— Vous êtes trempée, dit-il. Otez ce jean, je vais vous réchauffer.

Il avait fait du feu et elle obéit, anesthésiée à la pensée de son avenir détruit, des dernières minutes de bonheur qui lui restaient à vivre.

— Je vous aime, Jeff Thompson, et j'en veux à Roger d'avoir appelé. Je ne veux pas que vous repartiez en mission, que vous soyez de nouveau blessé. Vous aviez raison en pensant que je ne supporterais pas les dangers de votre profession. Quand vous vous êtes jeté devant Bobby et que cette balle vous a touché... j'ai pensé... au pire... j'aurais voulu mourir.

— Mais pas moi.

Il lui prit le visage dans les mains, plongea son regard dans le sien.

— Pour la première fois depuis des années, je n'ai pas souhaité la mort. Je pensais à vous et j'avais peur de ne jamais vous revoir.

Il redessina le contour de ses oreilles.

— En arrivant à l'hôpital, j'ai remercié Dieu de m'avoir laissé la vie sauve et j'ai juré de ne plus jamais m'éloigner de vous, plus jamais.

— Mais... votre travail.

— A Washington. Je reprends le poste de Roger. Il veut partir en retraite et m'a proposé à la direction pour occuper ses fonctions. S'ils avaient refusé, j'aurais donné ma démission.

Il l'embrassa.

— Ils viennent d'accepter officiellement. C'est un rôle prestigieux qui m'attend, Marilyn. Vous m'avez, une fois de plus, porté bonheur.

Il la serra contre lui.

— Voulez-vous m'épouser, Marilyn ? Pour le meilleur et pour le pire ? Pour toujours et à jamais ?

— Oh, Jeff ! J'étais si malheureuse ! Je vous aime tant !

— Vraiment ? Il va falloir me le prouver.

Il l'amena vers le canapé, se mit à la caresser doucement.

— Que diriez-vous d'un de ces bébés exotiques dont nous avons parlé ? Je crois qu'à nous deux nous en aurions de merveilleux.

— Justement, murmura-t-elle. Le médecin m'a

dit que si je voulais avoir des enfants, je ne devrais pas attendre trop longtemps parce que...

— Nous allons arranger cela. Mais cessez donc de bavarder !

Il l'embrassait dans le cou, sur les épaules.

— Nous avons beaucoup plus important à faire.

Elle l'entoura de ses bras et l'attira à elle. Il avait parfaitement raison.

Ce livre de la collection Duo vous a plu.
Découvrez les autres séries qui vous enchanteront.

Série Désir

La série haute passion. La rencontre extraordinaire de deux êtres brûlant d'amour et de sensualité.

Série Pays lointains

Des histoires d'amour palpitantes, des horizons inconnus, des paysages enchanteurs.

Chaque roman est proposé avec une fiche-tourisme détachable en couleurs.

Série Coup de foudre

Action, sensualité, un cocktail enivrant pour de surprenantes rencontres.

Série Harmonie

Un tourbillon d'aventures. 220 pages de péripéties et d'amour pour faire durer votre plaisir.

Série Romance

Rendez-vous avec le rêve et le merveilleux.
La série tendre et émouvante.

Offre spéciale : 2 romans en 1 volume, 20,50 FF au lieu de 23 FF.

Duo Série Amour et Mystère n° 2

Frissons, à l'aube

Lasse d'être trompée par son mari,
Pearl Ashford a demandé le divorce.
Paul, blessé dans son amour-propre,
persuadé que sa femme l'a quitté pour
un autre, décide de la faire surveiller
par Ronald Kincannon.

Celui-ci accepte sans savoir qu'il va
tomber dans un piège : celui de la passion.
Pearl est si belle avec ses longs cheveux
de jais et l'éclat cuivré de sa peau...

Ce mois-ci

Duo Série Désir

153 **Eclat d'une passion** DONNA McDOWELL

154 **Un été en fête** CLARE RICHARDS

155 **Mystérieux comme l'amour** ANGEL MILAN

156 **Dans les feux de l'aurore** RITA CLAY

Duo Série Pays lointains

9 **Ombre et lumière au Portugal** BRITTANY YOUNG

10 **Loin, dans la mer de Corail** LAUREY BRIGHT

Duo Série Romance

277 **Ce diable d'Irlandais** DOREEN OWENS MALEK

Cariña RITA RAINVILLE

Duo Série Harmonie

93 **Un éblouissant voyage** BARBARA FAITH

94 **Le ranch de tous les rêves** LINDA LAEL MILLER

Duo Série Coup de foudre

37 **Une lumière, au loin** ELLIE WINSLOW

38 **Torrent d'amour** LISA McCONNELL

39 **Miracle du passé** FRANCINE SHORE

40 **Le cœur battant** CHARLOTTE WISELY

Achevé d'imprimer sur les presses de l'Imprimerie Bussière
à Saint-Amand-Montrond (Cher)
le 10 janvier 1986. ISBN : 2-277-86001-8.
N° 2622. Dépôt légal : janvier 1986. Imprimé en France

Collections Duo
27, rue Cassette 75006 Paris
diffusion France et étranger : Flammarion